머리말

漢字는 우리의 日常生活과 매우 密接 한 關聯이 있으므로 學習의 必要性을 認定 하면서도 배우기가 어려운 것으로 생각하는 傾向이 있다,
그것은 漢字만이 갖고 있는 獨特 한 構造 때문일 것이다. 그러나 그 과정의 어려움을 克復 하고 나면 漢字 만큼 人生의 教訓을 듬뿍 담은 言語도 없음을 알게 된다

漢詩를 다루다 보니 경험 상 한자와의 接近이 쉬워지고 빨리 이해할 수 있는 길이 열림을 알 수 있었다

지금은 옛날 書堂에서 하는 方法을 넘어 디지털화된 현대 기술과의 접목으로 보다 빨리 손쉽게 이해하고 습득할 수 있는 길이 열렸다는 것은 매우 고무적인 일이 아닐 수 없다.

10여 년 전부터 여러冊子를 通 해 모았던 좋은 漢詩를 나름대로 해석하여 이와 같이 책으로 발간하게 된 점 기쁘게 생각합니다.

-小野 韓 相浩-

표지그림 pikisupersta Freepik

No.151

★春風起/봄 바람
춘풍 기

垂楊深處綺窓開 하니
수양 심처 기 창 개

小院無人長綠苔 라.　　　　院/담　苔/이끼
소 원 무인 장록 태　　　　원　　　태

簷外時聞風自起 하니
첨 외 시 문 풍 자 기

幾回錯認故人來 오.　　　　錯/섞일
기회 착인 고인 래　　　　착

☞수양버들 늘어진 곳에 창을 열고 바라보니
　사람은 흔적도 없고 이끼만 자라고 있네
　발 너머로 때때로 들리는 바람 소리
　여러 번임이 오는 줄 속았다네

※이 시는 수양버들이 늘어진 곳에 창을 열어놓고 보니
사람은 없고 이끼만 자라고 있다, 밖에 때때로 바람이
일어나며 혹시 옛 친구가 오지 않나 하는 조마조마한 심정을
쓴 것이다.
☺長綠苔/푸른 이끼가 자람　幾回/몇 번이나　錯認/잘못 앎.
　장 록 태　　　　　　　　　기회　　　　　착인

No.151-1

★懷人/임을 그리며　　　　懷/품을
회인　　　　　　　　　회

關河秋色上羅裙 하니　　　關/빗장　裙/치마
관 하 추 색 상 라 군　　　관　　　　군

都護府前落照曛 이라.　　　曛/석양빛
도호부 전 락 조 훈　　　　　　훈

遙知夜夜朝天夢 하니
요 지 야야 조천 몽

應繞長安日下雲 이라.　　　繞/두를
응 요 장안 일 하 운　　　　　요

☞관하의 가을 빛이 비단치마에 어리는데
　도호부 앞에 해가 저물어 가네
　밤마다 꾸는 임의 꿈이
　장안을 돌고 날아오는 구름이겠지

※이 시는 멀리 떨어져서 국사를 보살피고 있는 사람을
그리면서 쓴 것이다.

☺關下/國境(邊方)에 있는 강　上羅裙/비단 치마에 깃들다
　관하　국경　변방　　　　　　상 나군

　都護府/고려 때부터 설치하였던 지방 관청의 하나
　도호부

No.152

★使絶亭/사절정의 노래
　사 절 정

亭名四絶却然疑 로소니　　　却/물리칠
정 명 사 절 각 연 의　　　　　각

四絶非宜五絶宜 라.　　　宜/마땅할
사 절 비 의 오절 의　　　의

山風水月相逢處 에
산풍　수월　상봉 처

更有佳人絶世奇 라.　　　奇/기이할
갱 유 가인 절세 기　　　기

☞정자 이름을 사절이라 한 것이 의심스럽네
　사절이 마땅치 않고 오절이라 함이 마땅할 것이네
　다시 절세가인 있으면 오절이네

※이 시는 사절정을 읊은 것이다 사절이란 산, 바람, 돌, 달을
말하는데 여기에 다시 아름다운 여자가 있으니 정자 이름을
오절이라고 하는 것이 마땅하다는 것이다.
☺却然/문득　四絶/네 가지 절경　絶世奇/절세의 기특한 것.
　각 연　　　사 절　　　　　　절 세 기

No.152-1

★香山島/향산의 길에서
　향산도

道僧何處在 요
도승 하처 재

窓下白雲留 라.　　　　留/머무를
창 하 백운 류　　　　　　류

棲衲鳥鴉信 이요　　　棲/살　衲/기울　鴉/갈까마귀
서 납 조 아 신　　　　서　　　납　　　　아

隣床虎豹柔 라　　　　床/상　豹/표범　柔/부드러울
인 상 호표 유　　　　상　　　표　　　　유

生涯惟有葉 이요　　　惟/생각할
생애 유 유 엽　　　　유

顔色不知秋 라
안색 부지 추

夜靜携枯竹 하여　　　携/끌　枯/마를
야 정 휴 고 죽　　　　휴　　　고

龍吟聽古湫 라.　　　湫/다할
용음 청 고 추　　　추

☞중이 어디에 있는가

창가에 구름이 감돌고 있다
중 옷을 보고 새들도 미더운지
산에 사는 범도 순하기만 하다
한평생 젊어 있으니
밤에 지팡이를 짚고 걸으며
못 속에서 우는 용의 울음을 듣는구나.

※이 시는 깊은 산중의 절에 있는 중의 생활을 읊은 것이다.
☺道僧/도가 통한 중   棲衲/장삼(중옷)을 입음   隣床/자리를
　도승　　　　　　　　　　　　서 납　　　　　　　　　　　　인 상
이웃함   古湫/옛날의 웅덩이
　　　　고 추

ESP2000

No.153

★懷人/임을 그리며 　　　　懷/품을
　회인　　　　　　　　　　　회

啼鳥飛花憶去春 하니 　　　憶/생각할
제 조 비 화 억 거 춘　　　　　억

風樓百感又秋新 이라.
풍 루 백 감 우 추 신

如今管領皆過夢 이 　　　皆/다
여금 관 영 개 과 몽　　　　개

何事凋零半舊親 -가 　　　凋/마를　零/조용히 오는 비
하사 조 영 반 구 친　　　　조　　　영

惟有碧山當故宅 이요 　　惟/생각할
유유 벽산 당 고 택　　　　유

更教流水入西隣 이라
갱 교 유 수 입 서 린

日斜柳巷蟬聲咽 하니 　　巷/거리　蟬/매매　　咽/목구멍
일 사 유항 선성 인　　　　항　　　선　　　　인

不見富時勸酒人 이라.
불 견 부 시 권 주 인

☞새와 꽃을 보니 지난봄이 그리운데
　온갖 생각이 가을철이면 더욱 새롭구나
　얼굴이 야위어가니 사랑도 식어가네
　오직 푸른 산에는 옛집이 그대로 있는데
　흐르는 물이 서쪽으로 흘러가네
　버들 숲에서 매매가 울어대건만
　옛날 술 권하던 사람은 없네.

※이 시는 꿈결 같은 과거를 회상하고 인생의 무상함을 읊은

것이다.

☺百感/여러 가지 생각   管領/일을 도맡아 함   凋零/시들어
백감   관령   조령

떨어짐.

幽閑堂 洪氏, 朝鮮 憲宗 때의 女流詩人, 이름은 原周 本貫은
유한당 홍씨 조선 헌종   여류시인   원주 본관

豊山 觀察使 洪仁謨의 딸, 어머니는 女流詩人 令壽閣 徐氏,
풍산 관찰사 홍인모   여류시인   영수각 서씨

沈宜奭의 부인, 詩材에 뛰어나 정서와 긴장미를 띤 作品集
심의석   시재   작품집

幽閑堂 詩稿 가 있다.
유한당 시고

No.154

★梅花
 매화

千里歸心一樹梅 -
천리 귀심 일 수 매

墙頭月下獨先開 라.
장두 월하 독 선 개

幾年春雨爲誰好 요
기년 춘우 위 수 호

夜夜隴頭入夢來 라.   隴/고개이름
야야 농두 입 몽 래   농

☞고향에 돌아가고 싶은 것은 매화 때문인데
  지금 담 머리 밝은 달 아래 홀로 피어있겠지
  몇 년을 두고 봄비는 누구를 위하여 그렇게 내리는지
  밤마다 담 머리에 핀 매화가 들어오네

※이 시는 고향의 담 머리에 피어 있는 매화꽃 생각이 나서
쓴 것이다 내가 떠난 뒤 몇 년 동안 매화꽃이 꿈마다
보였는데 대체 그 매화는 봄비 속에서 누구를 위하여 피고
있는지 궁금하다는 것이다. ☺隴頭/ 언덕머리.
농 두

No.154-1

★憶弟/동생을 그리며
억 제

中夜蟲聲悲淚落 하니
중야 충성 비 누 락

夕陽蟬語離愁生 이라.
석양 선 어 이 수 생

枕邊欲作堌簽夢 하니   堌/계집가두는옥
침변 욕 작 현 첨 몽   현

莫教金鷄報曉鳴 하라.   曉/새벽
막 교 금 계 보 효 명   효

☞한밤에 벌레소리를 들으니 눈물이 흐르네
　구슬피 우는 매미 소리에 어디로 떠나고 싶은 생각이 드네
　꿈에서나 한집안 인연을 맺고 싶으나
　새벽 닭이여 날이 새는 것을 알리지 마오.

※이 시는 밤중에 우는 벌레소리나 석양에 우는 매미 소리를
들으니 고향생각이 난다.
꿈을 꾸고자 하니 닭이 날이 새는 것을 알리지 말라는 뜻이다.

☺蟬語/매미 우는 소리 堌簽夢/천한 집에서 꾸는 꿈 金鷄/닭
선 어   현 첨 몽   금계

★三更月/달을 보고
삼경월

天際浮雲片片橫 하니   際/사이   片/조각
천제 부운 편편 횡   제   편

林光樹色喜新晴 이라.
림 광 수 색 희 신 청

臥看北麓三更月 하고   麓/산기슭
와 간 북록   삼경월   록

遙憶西州千里情 이라.
요 억 서 주 천 리 정

☞하늘에 뜬 구름이 비늘처럼 펼쳐 있는데
   숲에 어린 빛이 참으로 새롭다
   누워서 북녘 언덕에 떠 있는 달을 보고
   멀리 서주(타국)땅에 있는 임을 생각한다

※이 시는 하늘에 비늘처럼 펼쳐 있는 구름도 아름답지만 새
순의 파란 숲도 아름답다. 누워서 달을 바라보면서 멀리
떨어져 있는 임을 그리고 있는 심정을 표현한 것이다,

☺片片橫/조각 구름이 널려있는 것을 말함.
  편편 횡

千里情/천 리나 멀리 떨어져 있는 임이 정.
천리 정

★離情/離別하는데
  이정   이별

人間此夜離情多 하니
인간 차야 이정 다

落月蒼茫入遠波 라.　　　蒼/푸를　茫/아득할
낙월 창망 입원파　　　　　　창　　　　망

借問今宵何處宿 -고
차문 금소 하처 숙

旅窓空廳雲鴻過 라.　　　鴻/큰기러기
여 창 공청 운 홍 과　　　　홍

☞ 내 오늘 밤 유독 서글퍼지는데
　 달은 멀리 바다에 지네
　 오늘 밤은 어느 곳에서 잘 것인가
　 旅窓에서 쓸쓸히 기러기 소리만 듣고 있네
　 여 창

※이 시는 달이 아득히 바다에 지는 밤이면　떠난 몸이
외로워지는데 더욱 하늘 높이 날아가는 기러기 소리는 나의
애를 태우고 있다는 것이다.

☺滄茫/아득한 것 入遠波/먼 바다에 빠짐(잠김,멀어짐)
　창망　　　　　　입원파

雲鴻過/구름을 나는 기러기가 지나감. 높은 하늘에서 기러기가
운 홍 과

지나감.

No.157
★笛聲/피리 소리
　적성

飄泊多年恨未歸 하니　　飄/회오리바람　泊/배댈
표 박 다년 한 미 귀　　　표　　　　　　　박

誰家此夜擣征衣 오.　　擣/찧을　　征/칠
수 가 차야 도정 의　　도　　　　　정

忽聞雲外落梅曲 하고
홀 문 운 외 낙매 곡

遠客彷徨雁北飛 라,　　彷/거닐　徨/노닐　雁/기러기
원객 방황 안 북 비　　　　　방　　　황　　　안

☞떠도는 신세 고향에 돌아가서 못한 것이 한이 되네
　오늘 저녁 누구의 집에서 두드리는 다듬이 소린가
　문득 멀리 피리 소리가 들리는데
　나그네 설레이는 마음 북쪽으로 기러기는 날아가네

※이 시는 몇 년 동안 객지에서 지내면서 고향에 돌아가지
못하고 있는 이 심정이 다듬이 소리만 들으면 고향생각이
불현 듯 떠오르는 것을 표현했다 더구나 낙매곡을 들으니
갈피를 잡을 수 없고 기러기 따라 고향에 날아가고 싶다는
것이다

☺飄泊/떠돌아다니면서 지냄　擣征衣/싸움(수자리)터에 가는
　표 박　　　　　　　　　　　도 정 의

남편의 옷을 다듬이질함.　落梅曲/곡조명.
　　　　　　　　　　　　　낙매 곡

작가 李 氏 金盛達의 小室로 시를 모르다가 夫君이 죽은
　　　이 씨 김성달　　소실　　　　　　　부군

다음 그 詩稿를 가지고 신통하였다.
　　　　시고

No.158

★江村卽事/강마을
　강촌　즉사

山影倒江掩夕暉 하니　　掩/가릴　暉/빛
산영 도 강 엄 석 휘　　　엄　　　휘

漁人款乃帶潮歸 라.   款/정성   潮/조수
어 인 관 내 대 조 귀   관   조

知爾幾時逢海雨 요   爾/너
지 이 기 시 봉 해 우   이

船頭斜掛綠簑衣 라.   簑/도롱이   掛/걸
선 두 사 괘 록 사 의   사   괘

☞산 그림자 강에 잠기니 해도 기울었네
  어부들이 뱃노래 부르며 돌아오네
  몇 번이나 바다에서 비바람을 만났는지
  뱃머리에 젖은 도롱이가 걸려 있네

※이 시는 어부들이 저녁 해질 무렵 뱃노래를 부르며
돌아왔는데 물에 젖은 도롱이가 걸려있는 것을 보고서 몇
번이나 비바람을 만나서 욕을 보았느냐고 물어본 내용이 잘
표현 되었다.

☺掩夕暉/저녁 햇빛을 가리움 綠簑衣/푸른 빛의 도롱이
  엄 석 휘   녹 사 의

옷(물에젖은도롱이). 작가 李氏 府使 심순일의 부인이며 시에
                       이씨 부사

능하고 글씨를 잘 썼다

No.159

★失題/구름이 걷히니
  실제

雲斂天如水 요   斂/거둘
운 렴 천 여 수   렴

樓高望似飛 라.
누 고 망 사 비

無端長夜雨 -
무 단 장야 우

芳草十年思 **라,**
방초 십년 사

☞구름이 걷히니 하늘은 물처럼 맑고
다락이 높으니 둥둥 떠 있는 것 같다네
하염없이 긴 밤을 비는 내리고 있는데
꽃다운 이 몸이 십 년 동안 시름 속에 살았네

※이 시는 하늘이 물처럼 맑고 다락이 높아 날아가는 듯이
기분이 좋은데 무단한 걱정으로 많은 세월을 보냈다고
표현하였다.   ☺雲斂/구름이 걷힘.
운 염

李氏   延陽府院君 李貴의 **딸로 중이 되었으며** 尼名은
이씨   연양부원군   이귀   이 명

禮順이다.
예 순

★自歎/歎息　　　　　　　　歎/읊을
　자탄　탄식　　　　　　　　 탄

祇今衣上汚黃塵 하니　　　祇/공경할　　汚/더러울
지금 의상 오 황진　　　　　지　　　　　 오

何事靑山不許人 -가.
하사 청산　불허 인

寰字只能囚四大 하니　　　寰/기내　　　囚/가둘
환 자 지능 수 사 대　　　　환　　　　　 수

金吾難禁遠遊舟 이라.
금오 난 금 원유 주

☞지금 이 몸이 세상길에 더러워졌는데
　어찌 푸른 산이 싫다고 받아들이지 않는가
　넓은 천지에서 이 몸만을 가두어 놓는데
　금오의 장사로도 떠도는 배는 잡지 못하는가

※이 시는 티끌로 가득한 세상을 피하여 청산에 살고 싶은데
청산은 왜 허락을 않는가? 세상이 이몸을 꼭 묶어 놓는데
금오의 위력으로도 이 묶음을 벗어날 수 없다는 것인가 하고
자탄한 것이다.

☺祇今/다만 지금 汚黃塵/세상 티 끝에 더럽히짐. 寰字/온누리,
　　지금　　　　　오 황진　　　　　　　　　　　 환우

세상 金吾/이조때의금부의 별칭囚四大/몸(사대육신)을 가두어
　　　금오　　　　　　　　　　　　　 수 사 대

둠

★梧桐/梧桐나무
　오동　오동

愛此梧桐樹 하니
애 차 오동 수

當軒納晚凉 이라.　　　　軒/추녀　　晚/저물　凉/서늘할
당 헌 납 만 양　　　　　　헌　　　　만　　　　양

却愁中夜雨 -
각 수 중야 우

飜作斷腸聲 이라.　　　　飜/뒤칠
번 작 단장 성　　　　　　번

☞이 오동나무를 사랑하는 것은
　창 앞에서 가을을 듣기 때문이네
　한밤중 떨어지는 빗방울은
　내 창자를 울리는 소리

※이 시는 오동나무가 창앞에서 서늘한 바람을 일으키고 있는
것을 사랑하고 있는데 한밤중 내리는 빗방울 소리는 창자를
끊어내는 듯한 느낌이 든다는 것이다

☺當軒/처마에 높이 솟아 있음 納晚凉/늦가을의 서늘한
　당 헌　　　　　　　　　　　납 만량

바람으로 본다

№161-1

★襟懷/시름　　　　　　　襟/옷깃
　금회　　　　　　　　　　금

愁與愁相接 하니
수 여수 상접

襟懷苦未開 라.
금회 고 미 개

黯黯無時望 하니　　　　黯/어두울
암암무시망　　　　　　　　암

不知何處來 오(라).
부지 하처 래

☞시름이 끝없이 도사리니
　가슴 속이 답답하네
　아득히 살피고 있는데
　어느 곳에서 솟아오는지

※이 시는 시름으로 마음이 탁 열리지 않고 있는데 어느
곳에서 이 수심이 솟아오는지 멀리 바라보고 있다는 것이다

☺襟懷/가슴 속 회포　黯黯/어두운 모습, 아득한 모양
　금회　　　　　　　　암 암

　無時望/때없이(항상)바라보고 있음.
　무시 망

No.162

★白雲流水/흰 구름이 떠가네
　백운 유수

淸宵月色滿空庭 하니
청소 월색 만공 정

臥聽高梧滴露華 라.
와 청 고 오 적 노 화

臺樹依依人事變 이나　　　　依/의지할
대 수 의의 인사 변　　　　　　의

白雲流水古今情 이라.
백운 유수 고금 정

☞가을 밤 달빛이 뜰에 비치고 있는데

　오동잎이 이슬 떨어지는 소리가 들리네.

　뜰에는 나무가 서 있네 人生은 虛無하네
　　　　　　　　　　　　 인생　　 허무

　흰 구름이 떠가네, 물이 흘러가네.

※이 시는 달이 밝은 가을 밤에 오동잎에서 이슬이 떨어지는
소리를 듣고 있으면서
떠가는 구름과 흐르는 물은 예나 다름이 없는데 세상의 일은
변천하여 허무한 느낌이 든다는 것을 읊은 것이다.

☺滴露華/이슬이 맺혀서 떨어짐　臺樹/집 옆에 늘어진 나무들
　적 노 화　　　　　　　　　　 대 수

依依/나무가 무성한 모습　人事變/사람의 일이 변천함.
의의　　　　　　　　　 인사 변

작가 錦園 原州 사람, 金侍郎 德熙의 小室.詩文에 能하고
　　 금 원　원주　　 김 시랑 덕 희　　 소실　시문　　 능

文集이 있다
문집

leffteye81

★春愁/봄의 시름이
춘수

池邊楊柳綠垂垂 하니
지변 양유 녹수수

黯黯春愁若自知 라.　　黯/어두울
암암 춘수 약자지　　　　암

上有黃鸝啼未已 하니　　鸝/꾀꼬리
상유 황리 제미이　　　　리

不堪惆悵送人時 라.　　惆/실심할　　悵/슬퍼할
불감 추창 송인 시　　　추　　　　　창

☞못가 버드나무 드리웠네
　봄의 시름이 가물가물 떠오고 있네
　꾀꼬리가 저렇게 슬피 우는 것은
　이별의 한이 못내 서러워서인가

※이 시는 버들이 그리운 것을 보니 봄의 시름이 솟아 난다
특히 꾀꼬리 우는 소리를 들으면서 사람을 보내는 것은 견딜
수가 없다고 하였다.

☺垂垂/많이 늘어져 있는 모습　　若自知/스스로 알 것 같음
　수 수　　　　　　　　　　　　약 자 지

　啼未已/울음을 그치지 않음　　惆愴/섭섭하고 슬픈 모습
　제 미 이　　　　　　　　　　추창

No.163-1

★始遊京城/봄 바람 타고
시 유 경성

春雨春風未暫閒 하니   閒/틈
춘 우 춘 풍 미 잠 한   한

居然春事水聲間 이라.
거 연 춘 사 수 성 간

擧目何論非吾土 요
거 목 하 논 비 오 토

萍遊到處是鄕關 이라.   萍/부평초   關/빗장
평 유 도 처 시 향 관   평   관

☞하늬바람이 휘몰아치는데
　봄이 저 물소리에 바빠지네
　눈에 보이는 곳 다 내 땅인데
　떠돌아다니면 그 곳이 고향이지

※이 시는 봄이 어느새 돌아왔는데 어느 땅이 내 나라가 아니
겠는가? 나그네 발길 닫는 곳이면 내 고향이라고 표현하였다.
☺未暫閒/잠깐도 한가하지 않음 居然/부평초처럼 떠돌아 다닌
　　미 잠 한　　　　　　　　　　　거연
다　鄕關/고향.
　　　향관

No.164

★湖樓/정자에서
　호 루

烟波浩蕩白鷗天 에   烟/연기
연 파 호 탕 백 구 천   연

斜倚欄干夜不眠 이라.
사 의 란 간 야 불 면

隔岸時聞人語響 하니
격 안 시 문 인 어 향

月明南浦有歸船 이라.
월명 남포 유 귀 선

☞아지랭이 피어오르고 백구 나는데
   난간에 기대고 있으니 잠도 오지 않네
   언덕 너머에 말소리가 들리는데
   달 밝은 포구에 배가 돌아가고 있네

※이 시는 백구가 나는 바다를 바라보며 밤에 자지 않고 있는
데 언덕 너머에서 사람 소리가 들리기에 보니 배가 남포에 돌
아가고 있음을 읊은 것이다
☺白鷗天/白鷗가 나는 하늘.
   백구 천 백구

No.165

★捲簾/揮帳이 열리니   捲/말   簾/발
   권 염 휘장   권   염
簾幙初開水國天 에   幙/막
   염막 초개 수국 천   막
春風十二畵欄前 이라.
   춘풍 십이 화란 전
隔江桃李淞江柳 -   淞/강이름   娟/예쁠
   격강 도 이 송강 유   송   연
盡人淀濛一色娟 이라.   淀/물곧게흐를 濛/가랑비올
   진 인 공몽 일색 연   공   몽

☞휘장이 열리니 끝없이 펼쳐진 바다
   봄 바람이 열두 폭 난간에 부네.
   강 건너 꽃과 송강의 버들이

가랑비에 덮여 아지랑이처럼 피어나네.

※이 시는 봄바람이 불어오는 강변의 정자에서 안개와 같이 내리는 가랑비 속에 보이는 강 건너의 경치를 표현 한 것이다.

☺十二畵欄前/열두 칸이되는 난간 앞에 봄바람이 분다
　십이　화 난 전

　淞江/강의 이름　涳濛/가는 비가 내리는 모습.
　송 강　　　　　　공몽

Pixabay

★船遊
선유

櫓歌聲裏棹扁舟 하니　　　櫓/방패/노젓는 기구 棹/노
노가 성리 도 편 주　　　　　　　　노　　　　　　　　　　도

斜日雲霞遠欲流 라.
사일 운하 원욕 류

一色烟波三十里 에
일색 연 파 삼십 리

近江垂柳盡名樓 라.
근강 수류 진 명 루

☞뱃노래 부르며 배를 저어가는데
　저녁놀 아지랑이가 멀리 밀려가네
　끝없이 아롱진 이 강줄기여
　버들 드리운 속에 다락이 있네

※이 시는 조각배를 타고 가면서 보이는 정경을 묘사 한 것이
다
☺櫓歌/노를 저으며 부르는 뱃노래　　棹扁舟/조각배(작은 배)
　　노가　　　　　　　　　　　　　　　　　　　　도 편 주

를 노저음　盡名樓/다 이름이 있는 다락(정자).
　　　　　　진 명 루

작가 靜一堂 姜氏 晉州 사람. 在洙의 担園 尹光演의 婦人이
　　　정 일 당 강씨 진주　　　　　재 수　　단 원 윤 광 연　　부인
다.

★一善道/착한 길
일선 도

春來花正盛 하고
춘래 화정성

歲去人漸老 라.　　　　漸/점점
세거인점노　　　　　　　점

歎息將何爲 요　　　　歎/읊을
탄식장하위　　　　　　 탄

只要一善道 라.
지요일선도

☞봄이 오니 꽃이 피고
　세월이 가니 사람은 늙고.
　탄식한들 소용이 없네
　다만 착한 길 행할 수밖에

※이시는 사람이 늙는 것을 탄식하고만 있을 것이 아니라 착한 길을 행하는 것이 필요하다는 것을 쓴 것이다.

☺將何爲/장차 무엇을 할 것인가
　장하위

　只要一善道/다만 하나의 착한 도를 행하는 것이 필요하다.
　지요일선도

No.168

★夜吟/밤이 되니
　야 음

夜久群動息 하고
야 구군 동식

庭空皓月明 이라.　　　　皓/힐
정 공 호월 명　　　　　　　호

方寸淸如洗 하니　　　　洗/씻을
방촌 청 여세　　　　　　　세

豁然見性淸 이라.　　　豁/뚫인골
활연 견성 청　　　　　　　활

☞밤이 되니 모든 것이 잠들었는데
　뜰을 흰 달이 비치고 있네
　마음도 씻은 듯이 맑아지는데
　환하게 성품도 트이어 오네

※이 시는 동물들이 쉬고 달이 밝은 밤에는 마음도 씻은 듯이
맑고, 따라서 성품도 확 트이어 기분이 상쾌하다는 것을 표현.
☺群動息/여러 가지의 동물이 쉼 方寸/마음　豁然/확 트인 모
　군 동식　　　　　　　　　　방촌　　　활연

습 넓은 모습.

jbom411

★秋蟬/가을 빛
추선

萬木迎秋氣 하고
만 목 영 추 기

蟬聲亂夕陽 이라.
선 성 난 석 양

沈吟感物性 하고
침 음 감 물 성

林下獨彷徨 이라.　　　　　彷/거닐　　　徨/노닐
임 하 독 방 황　　　　　방　　　　　황

☞모든 나무마다 가을 빛이요
　매미 소리는 저녁 때 해 기울면 搖亂하다.
　　　　　　　　　　　　　　　　요란

　깊이 이치를 깨닫고
　나무 밑을 거닐어본다.

※이 시는 가을이 되어 나무들이 잎이 지고 매미들이 요란하
게 우는 소리를 듣고 깊이 만물의 이치를 생각하면서 숲속을
걷고 있는 超越한 모습을 표현한 것이다,
　　　　　초월

☺沈吟感物性/속으로 깊이 吟味하여 물건의 성질을 깨달음.
　침음 감 물 성　　　　　음미

★除夜韻/일 년을 보내며　　　　除/섬돌　　韻/운
제야 운　　　　　　　　　　제　　　　　운

無爲虛送好光陰 하니
무위 허송 호 광 음

五十一年明日是 라.
오십 일 년 명일 시

中宵悲歎將何益 -가   歎/읊을
중 소 비탄 장 하 익   탄

自向餘年修厥己 라.   厥/그
자 향 여년 수 궐 기   궐

☞하는 일 없이 歲月만 虛送하였네
　　　　　　　　세월　　　허송

　내일이면 오십일 년이라니
　이 밤에 슬퍼한들 무엇 하겠는가
　남은 세월이 몸을 닦아야지

※이 시는 오십일 년째 맞는 섣달 그믐날 저녁을 당하여 지난
날 虛送 歲月한 것이 애닯지만 별 수 없는 일이요, 앞으로 남
　　허송　세월
은 해에 있어서나 몸을 닦아 살아보겠다는 것이다.
☺無爲/아무 하는 일 없이 修厥己/그 몸을 닦음
　　무위　　　　　　　　　　수 궐 기

지은이 令壽閣 徐氏　　　令/영/우두머리 閣/문설주 朝鮮 때
　　　　영 수 각 서씨　　　영　　　　　　　　각　　　　조선

女流詩人,觀察使 逈修의 딸. 承旨 洪仁謨의 婦人. 詩才가 뛰어
여류시인 관찰사 형 수　　　승지 홍 인 모　　부인　 시재

났으며 當代 文章家로 이름을 떨친 奭周,吉周 顯周 등 세 아
　　　　당대 문장가　　　　　　석주 길주　현주

들과 閨秀 詩人 原周을 낳았음. 사십육편의 作品이 收錄한 令
　　　규수 시인 원주　　　　　　　　　　작품　　수록　　　영

壽閣稿 가 傳해진다.
수 합 고　　　전

逈/멀/빛나다 謨/꾀　　奭/클　閣/쪽문
형　　　　　　모　　　석　　　합

★征畔三石/庭園   征/칠   畔/두둑
정반 삼석 정원   정   반

猶帶他山色 이요   猶/오히려
유 대 타산 색   유

常有雲氣封 이라.   封/봉할
상 유 운기 봉   봉

元情本虛明 하니
원정 본 허 명

水月自相春 이라.
수월 자상 춘

☞오히려 먼 산 기분이 나고
　항상 물기가 어리여 있네
　원래 속까지 투명하여
　아름다운 봄기운이 감도네

※이 시는 뜰에 있는 바윗돌을 보고 읊은 것이다 그 바위가
산의 기분이 나고 구름이 어리어 있을 뿐 아니라 본래 속까지
투명하여 물과 달과 더불어 살기 때문에 항상 봄의 기분이 감
돈다는 것이다

☺雲氣封/구름 기운이 서리어 있음. 구름끼가 어리어 있음
　운기 봉

　元情本虛明/원래 정밀하고 근본이 환하게 밝음
　원정 본 허 명

★離別/손을 잡고
이별

握手不忍別 하니   握/쥘
악수 불인별   악

悠悠意不窮 이라.   悠/멀
유유 의 불궁   유

擧頭望行塵 하니
거 두 망행 진

蕭蕭起秋風 이라.   蕭/맑은대쑥
소 소 기 추 풍   소

☞손을 잡고 이별을 하니
  마음이 슬프기 짝이 없네
  고개를 들어 가는 것을 바라보니
  쓸쓸한 가을 바람이 부네

※이 시는 차마 이별할 수 없는 심정이 착잡하여 어찌할 바를 모르는 심정이다. 떠나가는 길을 바라보니 쓸쓸하게 가을 바람이 휘몰아치고 있으니 더욱 서글프다는 것이다.

☺不忍別/차마 이별을 못함 意不窮/뜻이 다함이 없음, 여러 가
  불 인 별   의 불궁
지 생각이 떠오름. 望行塵/세상을 바라봄 가는 길.
                    망행 진

No.173

★孤懸月/밤은 깊어 가는데
  고 현 월

疎疎耿耿不勝寒 하니   疎/트일   耿/빛날
소소 경경 불승 한   소   경

風滿高樓夜色闌 이라.　　　　闌/가로막을
풍 만 고루 야색 란　　　　　　　　　란

長空萬里孤縣月 이
장공 만리 고현월

斜照羈窓影未安 이라.　　　　羈/굴레
사조 기창 영미 안　　　　　　　　기

☞쓸쓸하고 외로워 추위를 이기지 못하겠네
　바람이 차가운 다락에 밤은 깊어 가는데
　아득한 하늘을 떠가는 저 달도
　수심처럼 그림자가 창에 어리어 있네

※이 시는 달이 비치는 깊은 밤에 잠을 이루지 못하고 시름에
잠겨 있는 모습을 표현한 것이다.

☺疎疎耿耿/외롭고 쓸쓸한 것　夜色闌/밤이 깊었다는 것　羈
　소소 경경　　　　　　　　　　야색 란　　　　　　　　　기

窓/나그네가 자고 있는 창.
창

HeungSoon

No.174

★清宵/이 밤에
청소

散亂寒聲在樹間 하니
산란 한 성 재 수 간

風林啼鳥夕陽還 이라.
풍림 제 조 석양 환

清宵獨立望仰處 에
청소 독립 망 앙 처

霜滿空庭月滿山 이라
상 만 공정 월 만 산

☞차가운 바람소리에 나뭇가지가 움직이네
　숲을 찾아 새들이 어둠 속에 돌아오네
　이 밤에 홀로 서서 고개를 들리니
　서리는 뜰에 반짝이고 달은 산 밖으로 떠나 가네

※이 시는 찬바람이 숲속에서 불고, 새들이 울면서 석양에 돌
아오는 가을밤에 홀로서서 산에 떠있는 달과 뜰에 비치는 이
슬을 바라보는 情景을 그린 것이다. ☺寒聲/찬바람 소리.
　　　　　　　　　　　정경　　　　　　　　　　한 성

No.175

★次 李白秋下刑門　　가을 하늘이 맑은데
차 이백 추 하 형 문

霜天寥落淡雲空 하니　　寥/쓸쓸할　淡/묶을
상천 요락 담운 공　　　　　요　　　　담

獨上孤舟萬里風 이라.
독 상 고주 만리 풍

漁笛數聲秋浦晚 하니　　　　　晚/저물
어적 수성추포만

吳山楚水夕陽中 이라.　　　　楚/모형/가시나무
오산 초 수 석양 중

☞가을 하늘이 맑고 구름이 높이 떠가는데
　홀로 끝없이 떠가는 배에 올랐네
　뱃노래 가락에 가을도 늦어 가는데
　저녁놀에 산과 물이 아름답네

※이 시는 가을 하늘이 맑은 날 홀로 배를 타고 끝없이 떠가
는데 뱃노래 소리에 가을도 저물어 온누리도 저녁놀에 타고
있는 것을 그린 것이다.

☺次李白秋下刑門/당나라 李太白이 지은 秋下刑門의 시의韻
　차 이백추 하형 문　　　　　이태백　　　　　　추 하형 문　　　　운

을 따서 시를 지음

寥落/아득하고 맑은 것　吳山楚水/오나라 산과 초나라 물, 오
요락　　　　　　　　　오산 초 수

의 초는중국의 나라 이름인데 여기서는 온누리의 뜻임.

지은이 翠蓮　　翠/물총새　蓮/연밥
　　　취 련　　취　　　　　　연

字는 一朵紅, 北道의 妓生으로 詩와 歌舞에 能하였으며 評事
자　　일 타 홍, 북도　　기생　　　　시　　가무　　능　　　　　평사

徐命彬의 사랑을 받았다.
서 명 빈

No.176
★空歸人/우리 임은
　공 귀 인

令節當三春 하니
영절 당 삼춘

鄕愁日日新 이라.
향수 일일 신

學士風流少 하여
학사 풍류 소

今作空歸人 이라.
금 작 공 귀 인

☞좋은 계절 삼춘을 당하니
　고향생각은 날로 더해가네
　임은 풍류객이 못되어
　이제 홀로 돌아갈 수밖에 없네

※이 시는 봄을 당하니 임에 대한 鄕愁가 懇切한데 임은 風流
　　　　　　　　　　　　　　　　향수　　　간절　　　　　풍류

客이 못되어 이렇게 혼자 쓸쓸하게 살아가고 있다고 그린 것
객

이다.

懇/정성☺ 令節/좋은 계절 三春/봄철, 봄의 삼 개월을 말함
간　　　　　　영절　　　　　　　삼춘

空歸人/쓸쓸하게 혼자 돌아가는 사람 혼자 살아가는 사람.
공 귀 인

No.177

★長霖/장마
　림

十日長霖苦未晴 하니　　　　霖/장마
십일 장림 고 미 청　　　　　　　림

鄕愁黯黯夢魂驚 이라.　　　黯/어두울　魂/넋
향 수 암암 몽혼 경　　　　　　　암　　　　　혼

中山在眠如千里 하니
중산 재 면 여천 리

黙/묵묵할　程/단위
묵　　　　　정

悄然危欄黙數程 이라.
초연 위 란 묵 수 정

悄/근심할　欄/난간
초　　　　　란

☞ 십일이나 장마가 개이지 않아
　그리운 고향이 꿈길에 삼삼거리네
　고향이 눈앞에 있으면서 가지 못하는 천리
　난간에 앉아서 마음으로 길을 가고 있네

※이 시는 긴 장마 때문에 향수에 젖은 꿈이 깨어져 허망하기 짝이 없고, 중산이 지척에 있으면서 가지 못하고 난간에 기 대어 길을 측정해 보는 안타까운 심정이 나타나 있다.

☺長霖/긴 장마　夢魂驚/꿈에서 자주 깸　中山/지명, 사랑하는
장림　　　　　　몽혼 경　　　　　　　　　　중산

임이 있는 곳 또는 고향.　黙數程/속으로 길을 헤아려봄.
　　　　　　　　　　　　　묵 수 정

stockluong

★望月/달을 바라보고
망월

亭亭新月最分明 하니
정정 신월 최 분명

一片金光萬古情 이라.
일편 금광 만고정

無限世界今夜望 하니
무한 세계 금야 망

百年憂樂幾人情 이라.
백년 우락 기인 정

☞둥근 달이 또렷이 떠 있는데
  저 밝은 빛은 예나 지금이나 다름이 없네
  넓은 세상에서 오늘 밤 저 달을 바라보고
  인생을 슬퍼하기도 하고 즐거워하기도 하겠지

※이 시는 저 밝은 달빛은 예전이나 지금이나 변함없이 떠 있는데 이 달을 바라보고 있는 사람이 몇 사람이나 나와 같이 이렇게 깊이 느끼고 있었는가 하고 읊었다.

☺亭亭/우뚝 솟은 모양 一片金光/한 조각의 금빛, 한 가닥의
  정정   일편 금광

달빛 百年憂樂/인생이 한 백 년 사는 가운데의 근심, 걱정과
     백년 우락

즐거움. 지은이 竹香 號는 琅珏, 平壤의 妓生으로 詩畫에 能
              죽 향 호   낭 각 평양   기생   시화 능

하였다.

★黃昏/가랑비 속에
황혼

千絲萬縷柳垂門 하니　錄暗如雲不見村 이라.
천 사 만 루 유 수 문　　　녹 암 여 운 불 견 촌

忽有牧童吹笛過 하니　一江煙雨自黃昏 이라.
홀 유 목 동 취 적 과　　　일 강 연 우 자 황 혼

縷/실　　　錄/기록할　　忽/소흐리할
루　　　　　녹　　　　　　홀

☞천만 가지 버들이 문 앞에 드리우니
　푸른 아지랑이가 피어나 눈앞이 보이지 않네
　때마침 목동이 피리를 불고 지나가는데
　저 강이 가랑비 속에 저물어 가네

※이 시는 버들이 휘늘어저 아지랑이가 구름처럼 피어 있는
마을에 목동이 피리를 불고 가는데 바라보니 앞강에 가랑비가
내리고 날이 어두워져가고 있다고 표현 하였다

☺千絲萬縷/한 가닥 한 가닥의 버들개지
　천 사 만 루

　錄暗如雲/푸른 빛을 띤 아지랑이가 구름처럼 피어남
　녹 암 여 운

　煙雨/아지랭이가 낀 것처럼 내리는 비
　연 우

No.180

★暮春呈女兄鷗亭道人/봄 消息　　　呈/드릴
　모춘 정 여형 구 정 도인　　소식　　　정

魦魚時節養蠶天　　　　　　　　魦/웅어　　　蠶/누에
도어 시절 양잠 천　　　　　　　도　　　　　잠

遠近靑山總似煙
원근 청산 총 사 연

病起不如春己暮
병 기 불 여 춘 기 모

桃花落盡小窓前
도화 낙 진 소창 전

☞고기 잡는 시절에 누에치는 일도 바쁘네
온 산에 덮인 아지랑이가 아름답구나
병으로 봄가는 줄도 모르고 있었는데
복사꽃이 창 앞에 다 떨어지네

※이 시는 暮春에 언니의 남편 鷗亭道人에게 贈呈하기 위하여
　　　　모춘　　　　　　　　구정 도인　　　　증정
지은 글이다. 웅어가 잡히고 누에를 치는 계절, 원근의 산에
아지랑이가 끼어 있는데 병으로 봄이 저문지 알지도 못하고
지낸 것이 아쉬워 창가에 지는 복사꽃을 바라보고 있는 것을
그린 것이다.
魛魚/웅어 總似煙/다 연기가 낀 것처럼 아지랑이가 끼어 있음.
도어　　　총 사 연

No.181

★畵蘭/蘭草
　화 란　난초

美人香草舊盟寒 하니
미인 향초 구맹 한

還向離騷卷裏看 이라.　　　騷/떠들　券/문서
환향 리 소 권 리 간　　　　소　　　　권

灑墨江南何處是 요　　　灑/뿌릴　墨/먹
쇄 묵 강남 하처 시　　　　쇄　　　　묵

西風腸斷馬相蘭 이라.
서풍 장단 마 상 난

☞난초를 보니 맹세가 그리워
　소경을 펴놓고 보네.
　강남 어느 곳의 난초를 그렸는가
　난초를 보니 창자가 끊어지는 듯 싶네.

※이 시는 난초를 표현한 것이다, 난초를 보니 옛날 임과 굳게
맺은 사랑이 생각나서 이 소경을 보고 회상하여 보는데 대체
이 난초는 강남의 어느 땅에 자라고 있는가?
마음을 조이며 난초를 보고 있는 심정을 그린 것이다.

☺舊盟寒/난초를 대하니 옛날 임과 굳은 맹세를 한 일이 세삼
　구맹 한

싸늘하게 떠 올라서 쓴 것임 離騷卷/중국 초나라 굴원이 지은
　　　　　　　　　　　　　　이소 권

책으로 거기에 난초에 대한 구절이 있기 때문에 한 말임.　馬
　　　　　　　　　　　　　　　　　　　　　　　　　　　마

相蘭/난초의 이름.　작가 鳳仙女史　年代와　由來　未詳
상 란　　　　　　　　　봉선 여사　　연대　　유래　미상

No.182

★細草/풀잎
　세초

尖如松葉刺人情 이로소니　　　　　尖/뾰쪽할　　刺/찌를
첨 여 송 엽 자 인 정　　　　　　　　첨　　　　　　자

帶雨和煙滿古城 이라.
대 우 화 연 만 고 성

一春消息南原旱 하니   旱/가물
일 춘 소 식 남 원 한   한

幾處征蛾夢相驚 -가.   蛾/나방
기 처 정 아 몽 상 경   아

☞뽀쪽하며 솔잎처럼 사람을 찌르는 것
  비를 띤 아지랑이가 옛 성에 자욱하네
  봄은 일찍 남쪽에 돌아왔는데
  홀로 여인들이 잠에서 깜짝 꿈을 깨네

※이 시는 봄이 남원에 일찍 돌아와 아지랑이가 자욱하게 되
어 있는데 홀로 꿈에서 임을 그리다가 깨어 시름에 잠겨 있는
심정을 쓴 것이다.
☺南原/지명.또는 남쪽 언덕   征蛾/남편이 싸움터에 떠나고 홀
남원   정 아
로 남은 여자

★登酌水亭/酌水亭에 올라서
　　등 작 수 정 작 수 정

山亭寥寂合書林 하니　　　　寥/쓸쓸할　　寂/고요할
산정 요 적 합 서림　　　　　요　　　　　적

奇石當前酌水深 이라.　　　奇/기이할　　酌/따를
기석 당전 작 수 심　　　　　기　　　　　작

十里白樊溪又深 하니　　　樊/꽃이름
십리 백 번 계 우 심　　　　번

仙人也應月中尋 이라.　　　尋/찾을
선인 야 응 월중 심　　　　　심

☞산방이 조용하여 공부하기 알맞은데
　괴상한 바위 앞에 깊은 물이 있네.
　십리나 흰 바위가 있고 시내도 깊은데
　신선들이 달밤이면 찾아와 놀 것이네.

※이 시는 작수정에 올라서 느낀 것을 쓴 것이다, 이 고요한
작수정에 바위가 십리나 깔려 있고 시내물이 깊어서 신선이
하늘에서 내려와 논다고 그린 것이다.

☺合書林/글방에 적합함　酌水/물 이름　　白樊/흰 바위가 깔려
　합 서림　　　　　　　　작 수　　　　　백 번

있음을 말함.

지은이 師任堂 申氏
　　　　사 임 당 　신씨

宣祖 때 進士 申命和의 딸로 호는 師任堂이다, 李栗谷 先生의
선조　　진사 신명화　　　　　　　사임당　　　　이 율 곡 선생

어머니이며 山水와 葡萄 그림에 能하였고 經史에 通하였다.
　　　　　　산수　　포도　　　　　능　　　경사　　통

★踰大關嶺望親庭/親庭을 바라보며　踰/넘을
　유 대 관령 망 친정　친정　　　　　유

慈親鶴髮在臨瀛 하니　　　　　慈/사랑할 髮/머리털 瀛
　자친 학발 재 임영　　　　　　자　　　　발　　　영

/바다

身向長安獨去情 이라.
　신 향 장안 독 거 정

回首北平時一望 하니
　회수 북평 시 일 망

白雲飛下暮山靑.
　백운 비 하 모 산 청

☞늙으신 어머니가 臨瀛 땅에 계시는데
　　　　　　　　　 임영

　임 따라 장안으로 홀로 떠나가네.
　머리를 고향에 돌려 때때로 바라보니
　흰 구름 떠가는데 산이 어두워지네.

·

※이 시는 師任堂이 大關嶺을 넘어 시집을 가면서 친정을 바
　　　　 사임당　 대관령

라보고 쓴 시이다 늙으신 어머니를 남겨 놓고 長安을 향하여
　　　　　　　　　　　　　　　　　　　　　장안

떠나는데 발길이 떨어지지 않아서 고향쪽을 바라보며 애태워

하는 心情이 그려져 있다. ☺臨瀛/地名 北平/地名
　　심정　　　　　　　　　임영 지명 북평 지명

★思親/어버이 생각
　사친

千里家山萬疊峰 하니　歸心長安夢魂中 이라.
천리 가산 만첩 봉　　　귀심 장안 몽혼 중

寒松亭畔雙輪月 이요.　鏡浦臺前一陣風 이라.
한송정 반 쌍 윤 월　　　경포대 전 일 진풍

沙上白鷗恒聚散 이요.　波頭漁艇每西東 이라.
사 상 백구 항 취산　　　파두 어정 매 서동

何時重踏臨瀛路 하여　綵舞班衣膝下縫 -고.
하시 중답 임영 로　　　채 무 반의 슬하 봉

疊/겹쳐질　畔/두둑　輪/바퀴　陳/늘어놓을　瀛/바다　綵/비단　班/
첩　　　　　반　　　　윤　　　진　　　　　　영　　　채　　　반

나눌　膝/무릅　縫/꿰맬
　　　슬　　　봉

☞우리 집이 멀리 첩첩한 산 너머에 있으니
　돌아가고 싶은 마음 꿈길에서 맴도네
　한 송정은 공중과 물속에 짝지어 있고
　경포대 앞 호수에는 한바탕 바람이 일어나네
　모래 위에서 백구는 흩어졌다 모이고
　호수에는 배가 왕래를 하네.
　어느 때 다시 임영 땅에 가서
　때때옷 입고 춤을 추며 어버이를 뵐 수 있을까.

※이 시는 고향에 계신 어머니 생각이 나서 고향의 그리운 모
습들을 서술하고 어머니 곁에 돌아가 기쁘게 해드리고 싶다는
심정을 표현한 것이다.

☺寒松亭/江陵 地方에 있는 정자 鏡浦臺/강릉의 호수가에 있
　한송정　강릉　지방　　　　　　　경포대

는 정자 綵舞班衣/비단 옷을 입고 춤추고,색동저고리를 입음
　　　　채 무 반의

中國古史에 보면 老萊子가 늙으신 어머니를 기쁘게 해 드리기
위하여 늙은 나이로 색동저고리를 입고 춤을 추었다 함.
지은이 翠仙 號는 雪竹, 金哲孫의 小室로 詩에 能하였다.

No.185

★白馬懷古/白馬江

晚泊皐蘭寺 하여   泊/배댈   皐/부르는소리

西風獨倚樓 라.

龍亡江萬占 요   占/차지할

花落月千秋 라.

☞ 夕陽에 皐蘭寺에 旅裝을 풀고

　서풍에 홀로 다락에 기대어 서 있네.

　용을 낚는 釣龍臺 위에 구름이 피어오르고

　꽃이 떨어진 白馬江에는 달이 떠 있네.

※이 시는 고란사에 머물면서 옛일을 회상하여 본 것이다 용
은 사라져 없지만 백마강은 지금도 여전히 흐르고 삼천 궁녀
는 꽃처럼 강물에 졌지만 달은 언제나 변함없이 비치고 있다
는 것을 표현한 것이다.

☺龍亡/백마강에 있는 용이 낚아져서 없어졌음. 花落/꽃
　용 망　　　　　　　　　　　　　　　　　　　　　　　　　　 화 락
(三天宮女)이 떨어짐.
　삼천궁녀

No.186

★春思/海棠花는 지는데　　棠/팥배나무
　춘사　해당화　　　　　　　　당

春粧催罷倚蕉桐 하니　　粧/단장할　催/재촉할　蕉/파초
춘 장 최 파 의 초 동　　　　장　　　　　　최　　　　　　초

珠箔輕明日影紅 이라.　　箔/발
주박 경 명 일 영 홍　　　　　박

香霧夜深朝露重 하니　　霧/안개
향 무 야 심 조 로 중　　　　무

海棠花泣小墻東 이라.　　泣/울　　墻/담
해당화 읍 소 장 동　　　　읍　　　　장

☞봄 治粧을 하고 芭蕉를 바라보네
　　치장　　　　파초

　발이 나부껴 해 그림자가 아롱이네.

　안개가 짙게 깔리고 아침이슬도 玲瓏한데
　　　　　　　　　　　　　　　　　영롱

　海棠花가 담 잎에 지고 있네.　玲/옥소리= 瓏
　해당화　　　　　　　　　　　　영　　　　　롱

※이 시는 낮에는 곱게 단장을 하고 오동나무에 기대어 발에
비치는 해 그림자를 바라보고 밤에는 이슬방울이 해당화 앞에
서 떨어지는 것을 바라보면서 봄을 감상하고 있는 내용이다.

☺蕉桐/파초와 오동　珠箔/구슬을 엮어서 만든 발
　초 동　　　　　　　주박

No.187

★玉屏/屏風
옥병　병풍

洞天如水月蒼蒼 하니　　　　蒼/푸를
동천 여 수 월 창 창　　　　　　　창

樹葉蕭蕭夜有霜 이라.　　　　蕭/맑은대쑥
수엽 소 소 야 유 상　　　　　　　소

十二細簾人獨宿 하니
십이 세렴 인 독 숙

玉屏還羨繡鴛鴦 이라.　　　羨/부러할　繡/수
옥병 환 선 수 원 앙　　　　　　선　　　　수

☞하늘이 물과 같이 맑고 달빛이 푸르는데
　나뭇잎에서 쓸쓸히 밤서리가 반짝이네
　열두 폭 발을 치고 혼자 자고 있으니
　병풍에 수놓은 원앙새가 부럽네.

※이 시는 하늘이 맑고 달이 밝으며 나뭇잎이 지고 서리가 내
리는 가을밤에 발을 치고 혼자 자는데 병풍에 수놓은 원앙생
의 다정한 모습이 부럽다고 표현 하였다.
☺洞天/마을 하늘　蒼蒼/푸른 빛을 띤 달이 아득히 떠 있음을
　　동천　　　　　　창창
말한 것임.　繡鴛鴦/원앙새를 수 놓은 것.
　　　　　　　수 원 앙

No.188

★楊子江頭/임과 놀던 곳
　양 자 강 두

十年曾伴石展遊 하니　　　曾/일쪽　展/펼
십년 증 반 석 전 유　　　　증　　　　전

揚子江頭醉幾留 오.　　　揚/오를
양자강 두 취 기 유　　　양

今日獨尋人去後 하니　　　　尋/찾을　　　汀/물가
금일 독심 인거후　　　　　　　심　　　　　정

白蘋紅蓼滿汀秋 라.　　　　蘋/네가래/풀이름　蓼/쓸쓸할
백빈 홍료 만정추　　　　　　빈　　　　　　　료

☞십 년 동안 임과 함께 놀던 곳
　양자강 둑을 취하여 거닐었네
　오늘 홀로 옛 자취 찾아왔는데
　희고 붉은 마른풀이 강에 피었네

※이 시는 사랑하는 임과 함께 술에 취하여 같이 놀던 곳을 이제 홀로 찾아와보니, 하고 붉은 풀만 자라고 있어 쓸쓸하기 짝이 없다는 것이다.

☺石田/돌밭. 혹은 지명 醉幾留/술에 취하여 몇 번이나 같이
　　석전　　　　　　　취 기 유

머물러 있었느냐? 白蘋紅蓼/흰 빛의 풀(개구리밥 풀)과 붉은
　　　　　　　　　　백빈 홍 요

빛의 여귀 풀.　지은이 溫亭　年代와　由來 未詳
　　　　　　　　　　　　온 정　연대　　유래 미상

No.189

★一村芳心/설레이는 마음
　일촌　방심

紫燕辭巢西向飛 하니　風飄輕絮落汚池 라.
자 연 사 소 서 향 비　　풍 표 경 서 낙 오 지

阿誰更結三生約 -고　一村芳心不自持 -라.
아 수 갱 결 삼 생 약　　일촌 방심 부 자 지

紫/자주빛　燕/제비　巢/집　絮/솜　阿/언덕
자　　　　　연　　　소　　　서　　아

☞제비는 집을 떠나 서쪽으로 날아가는데
  바람에 날려 버들개지는 물에 떨어지네
  누가 이몸을 다시 데려갈 것인가
  아름다운 마음 지닐 수 없는 것이 부끄럽네

※이 시는 제비는 강남 찾아 날아가고 바람이 불어 버들개지
를 못에 떨어뜨리는데 나는 누구와 다시 인연을 맺고 살것인
가? 정숙하지 못한 마음이 부끄럽다고 했다.

☺紫燕/제비 輕絮/가볍게 날리는 버들개지
  자연   경 서

  三生約/前生,現生,後生.곧 한평생 같이 사는 약속.
  삼생 약 전생 현생 후생

東林 張

★錦箋/임의 편지
금 전

忽得郎函醉夢輕 하니　　　函/상자
홀 득 랑 함 취 몽 경　　　　　함

錦箋字字淚交橫 이라　　　橫/가로
금 전 자자 누 교 횡　　　　　횡

料知明月無人夜 에　　　　料/되질할
료 지 명 월 무 인 야　　　　료

猶有慇懃戀我情 이라.　　　猶/오히려　慇/괴로워할　懃/은근
유 유 은근 연 아 정　　　　유　　　　은　　　　근

할

☞임의 편지을 받으니 꿈 같으네
　글자마다 얼룩진 눈물자국이여
　달밤에 혼자 잠을 이루지 못하고서
　나를 그리다가 떨어뜨린 눈물이겠지

※이 시는 멀리 떨어져있는 임의 편지를 받고 기뻐서 눈물 짖고 있다 더구나 임이 혼자 쓸쓸하게 있으면서 은근히 자기만을 생각하고 있음을 알게 되니 이 위에 더 바랄 것이 있겠는가?
☺金箋/비단에 쓴 편지 좋은 종이에 쓴 편지 郎函/임의 편지
금 전　　　　　　　　　　　　　　　　　　　낭 함
淚交橫/눈물(두사람)이 서로 떨어짐 눈물이 두 눈에 어리어있
누 교 횡
음.

★不識郎心/술집에 떠돌지만
불식낭심

妾辛倫落屬娼家 하니   倫/인륜   娼/몸파는여자
첩 신 윤 낙 속 창 가   윤   창

願得賢郎送歲葉 이라.
원 득 현 낭 송 세 엽

不識郎心磻石固 라   磻/강이름
불 식 낭 심 반 석 고   반

暫時移向別園花 라.
잠 시 이 향 별 원 화

☞이 몸이 잘못하여 술집에 떠돌지만
  착한 임을 만나 인생을 살고 싶었네
  임의 마음이 변한 것이라 생각하고
  잠깐 딴 사람을 사랑하고 있네

※이 시는 그릇된 길에 빠져 있는 이 몸이 어진 남편을 얻어
서 평생을 같이 사는 것이 원인데, 낭군의 마음을 알 수가 없
어 딴 생각이 나는 때가 있다는 것이다

☺倫落/그릇된 길로 빠지는 것,바르지 못한 길에 빠지는 것.
  윤 락

娼家/창기의 집. 기생의 집 磻石固/반석처럼 굳음 別園花/딴
창가   반 석 고   별 원 화
곳에 핀 꽃.
지은이 平壤 名妓. 英祖 때 文名을 떨친 李匡德의 愛妾이었으
        평양 명기. 영조   문명을   이광덕   애첩
며 詩에能 하였음. 匡/바를
    시 능   광

No.192

★大同江上/大同江에서
　　대동강　상　대동강

大同江上送情人 하니
　대동강　상송　정인

楊柳千絲不繫人 이라.　　　　　　繫/맬
　양 유 천 사 불 계 인　　　　　　　계

含淚眼看含淚眼 하고
　함 누안 간 함 누안

斷腸人對斷腸人 이라.
　단장 인 대 단장 인

☞대동강 뚝에서 정든 임을 보내는데
　천가닥 실 버들도 임을 잡아매지 못하네
　눈물 어린 눈으로 눈물 어린 임의 눈을 바라보고
　가슴 맺히는 사람이 가슴 맺히는 임을 대하고 있네.

※이 시는 대동강에서 사람을 이별하는데, 버들개지로 잡아서
매어 놓지 못하니 눈물이 흐르고 창자가 끊어질 듯하지만 보
낼 수밖에 없는 한을 쓴 것이다.

☺不繫人/사람을 매어 놓지 못함　含淚眼/눈물을 머금은 눈.
　불 계 인　　　　　　　　　　　함루 안

★廣寒樓/廣寒樓에서
　광한루　광한루

乍擲金梭懶上樓 하니　　　　　乍/잠깐　梭/북 懶/게으를
　사 척 금 사 뢰 상 루　　　　　사　　　사　뢰

珠簾高掛桂化秋 라.　　　　　　掛/걸　桂/계수나무
　주렴 고 괘 계 화 추　　　　　　괘　　계

午郎一去無消息 하니
　오 랑　일거무소식

烏鵲橋邊夜夜愁 라.
오작교 변야야 수

烏/까마귀   鵲/까치
오   작

☞베짜던 북을 던지고 다락에 올라가니
　발이 높이 계화가지에 걸렸네.
　임이 떠난 후 소식이 없어서
　오작교 언저리에서 밤마다 서성이네.

※이 시는 광한루를 그린 것이다, 베를 짜다가　북을 내던지고
廣寒樓 올라서보니 발이 계수나무에 높이 걸려 있구나?
광한루

임이(牽牛星)한번을 떠난 뒤 소식이 없기에 烏鵲橋 언저리에
　　견우성　　　　　　　　　　　　　　　　오작교

밤마다 근심스럽게 서성거리고 있다고 하였다.

☺廣寒樓/남원에 있음 金梭/베를 짜는 북　桂花秋/계수나무에
　광한루　　　　　　　금 사　　　　　　계화 추

꽃이 피는 때 友郞/견우성(남자)　烏鵲橋/牽牛와 織女가 건너기
　　　　　　우 랑　　　　　　　오작교　견우　　직녀

위해서 까마귀가 다리를 놓았다함. 광한루 옆에 있음.

No.193

★斷腸人/가슴이 맺히네
　단장 인

流淚眼看流淚眼 하고
유루 안간유 누안

斷腸人對斷腸人 이라.
단장 인대 단장 인

曹從卷裏尋常見 이러나　曹/마을 從/쫓을　券/문서
조 종권리 심상 견　　　　조　　　종　　　권

今日那知到妾身 -가.　　那/어찌
금일 나 지 도 첩 신　　　　나

☞흐르는 눈물로 임의 흐르는 눈물을 바라보고
  가슴이 맺히는 사람이 가슴이 맺히는 임을 대하고 있네
  일찍이 책에서는 보통으로 알고 읽었는데
  오늘 이 몸에 이를 줄을 몰랐네.

※이 시는 離別의 슬픔을 그전에는 보통으로 알고 책 속에서
          이별

지나쳐 보았는데, 지금은 직접 자신의 몸에 이르러 뼈저리게

느끼고 있다는 것이다.

☺券裏尋常見/책의 글 가운데서　離別에 대한 싯구나　文句를
  권 리 심 상 견　　　　　　　　　이별　　　　　　　　　　문구

普通으로 대하고 보았음.
보통

李 媛　年代와　由來　未詳　　　媛/미인
이 원　연대　　유래　미상　　　　원

kayjan

No.194

★樓上/다락 위에서
누상

紅欄六曲壓銀河 하니
홍란 육곡 압 은하

瑞霧霏微濕翠羅 라.   瑞/상서 霏/눈펄펄날릴
서 무 비미 습 취 라   서   비

明月不知滄海暮 하니   濕/축축할
명월 부지 창해 모   습

九疑山下白雲多 라.
구의산 하 백 운 다

☞높은 정자가 강 위에 서 있는데
  아지랑이가 자욱하여 비단 옷을 적시네
  해 저도 푸른 바다는 달이 밝은데
  구의산 아래에 백운이 솜처럼 피어나네

※이 시는 높은 다락에 올라서 다락의 形象과 季節的인 것과
                                    형상   계절적
前望 등을 그린 것이다.
전망
☺紅欄六曲/다락을 붉게 채색한 것이 여섯 구비(여섯 칸)라는
 홍란 육곡
뜻. 壓銀河/은하수를 누르고 있음 여기서는 다락 앞에 시내가
    압 은하
흐르고 있음을 말함.   九疑山/산 이름
                      구의산
No.195

★寧越途中/寧越에서
 영월 도중 영월

千里長關三日越 하니
천리 장관 삼일 월

東風立馬魯陵雲 이라.　　　魯/노둔할　陵/큰언덕
동풍 입마 노릉운　　　　　　　노　　　　　능

妾身自是王孫女 로
첩신자시왕손녀

此地鵲聲不忍聞 이라.
차지 작성 불인 문

☞천리의 먼 길을 삼 일에 넘어서
　말을 세우고 동풍에 떠가는 구름을 바라보고 있네.
　이 몸이 근본 왕시의 자손으로
　까치 소리도 차마 듣지 못하겠네

※이 시는 영월을 가는 도중에 단종을 그리면서 쓴 것으로, 자
신도 이 왕조의 後裔로 말을 세워 놓고 노릉으로 떠가는 구름
　　　　　　　　　후예
을 보고 있으니 까치 소리는 차마 들을 수 없다고 표현 하였
다.　　　　　裔/후손
　　　　　　　예

☺長關/긴 관문, 긴 길　魯陵雲/魯陵(端宗이 묻혀 있는 곳)으로
　장관　　　　　　　　　노릉 운　노릉　단종

떠가는 구름.　王孫女/李氏 王朝의 後裔.　勝二喬　　喬/높을
　　　　　　　왕손 여 이씨 왕조　후예　승 이교　　교

朝鮮 때 晉州의 名妓, 어릴 때 이름은 億春, 察訪 金仁甲의
조선　진주　명기　　　　　　　　　억춘　찰방　김인 갑

愛妾, 詩才가 뛰어났고 感傷的이며 淸麗한 詩歌를 남겼다
애첩　시재　　　　　　감상적　　　청려　시가

No.196
★西風/西風이
　서풍　서풍

西風吹衣裳 하니　　　　吹/불
서풍 취 의 상　　　　　취　　　裳/치마
　　　　　　　　　　　　　　　　　상

衰客傷日月 이라.　　　　衰/쇠할
쇠 객 상 일월　　　　　　쇠

蓮堂秋雨疎 하고　　　　蓮/연밥　　　疎/트일
연당 추 우 소　　　　　연　　　　　소

露技寒蟬咽 이라.　　　　咽/목구멍
노 기 한선 인　　　　　　인

☞ 서풍이 옷자락을 펄럭일 때마다
　늙어가는 모습 세월이 한스럽다.
　연꽃 핀 정자에 가을 비가 부슬거리고
　이슬 맺은 가지에 매미가 슬피 운다

※이 시는 서풍이 불어오는 계절에 늙어가는 것을 한하고 있
다. 못에 가을비는 시름없이 내리고, 가지에서는 매미가 울고
있으니 쓸쓸하다는 것이다.
☺蓮堂/연꽃이 피어 있는 못가에 지은 집
　연당

No.197

★思君/임을 그리다
　사 군

霜雁拖寒聲 하니　　　　拖/끌
상 안 타 한 성　　　　　타

寂寞過山城 이라.　　　　寞/쓸쓸할
적막 과 산 성　　　　　　막

思君孤夢罷 하니
사 군 고 몽 파

秋月照窓明 이라.
추월 조 창 명

☞서릿발에 차가운 기러기 소리가
쓸쓸하게 산 너머에 사라지네.
임을 그리다가 꿈을 깨니
가을 달이 창가에 부서지네.

※이 시는 기러기가 울고가는 적막한 산마을에서 꿈을 깨고
보니 가을 달이 창에 밝게 비치고 있다고 표현한 것이다.
☺拖寒聲/차가운 소리를 멀리 이끌고 간다, 차가운 소리로 우
타 한 성

는 것. 山城/산 小琰 琰/옥갈
산성   소 염 염

작가 姓은 蔡로 成川 妓生이다   蔡/거북
성 채 성천 기생   채

YHBae

No.198

★黃昏/黃昏에
　황혼　황혼

春風忽駘蕩 하니　　　　　　駘/둔마　　　蕩/쓸어버릴
춘풍 홀 태탕　　　　　　　　 태　　　　　 탕

山日又黃昏 이라.
산일 우 황혼

赤知終不至 하니
적 지 종 부 지

猶自惜關門 이라.　　　　　　猶/오히려　　惜/아낄
유 자 석 관 문　　　　　　　 유　　　　　 석

☞봄 바람이 무르익어 불어닥치는데
　산중에 해는 저물어가네.
　임이 오지 않으니
　문을 닫는 것이 섭섭하네.

※이 시는 화창한 봄날이 저물어가는데 임이 오지 않아 문을
잠그는 것이 애석하기 짝이 없다고 하였다.
☺駘蕩/봄날이 화창한 것　關門/문을 닫는 것.
　태탕　　　　　　　　　 관문

No.199

★挽人/임을 붙잡고　　　　　挽/당길
　만 인　　　　　　　　　　 만

傷心最是北邙山 이로소니　　傷/상처　邙/산이름
상심 최 시 북 망 산　　　　　 상　　　 망

一去人生不再還 이라.
일거 인생 부 재 환

若謂死生論富貴 면　　　　　　　　謂/이를
약 위 사생 논 부귀　　　　　　　　위

王侯何在夜臺間 -고　　　　　　候/물을
왕 후 하 재 야대 간　　　　　　후

☞北邙山을 보면 마음이 슬퍼지는데
　북망산

　한 번 가면 다시 못 올 인생이기 때문이네

　만일 死生을 富貴로 바꾼다면
　　　　사생　　　부귀

　王侯將相이　어찌 黃泉길에 있겠는가.
　왕후장상　　　　　황천

※이 시는 사람이 한 번 죽으면 다시 살아날 수 없기 때문에
공동묘지만 보면 마음이 서글퍼진다는 것이다. 죽고 사는 것을
돈이나 권력으로 바꿀 수 있다면 왕후장상은 죽지 않을 것이
라고 하였다.

☺北邙山/共同墓地　王侯/임금이나 제후　夜臺間/황천을 말함.
　북망산　공동묘지　　왕후　　　　　　　야대 간

작가 張氏 安東 사람　張興孝의 딸 재령 사람(載寧人)이 시명
　　　장씨　안동　　　　장흥효　　　　　　　　재령 인

의 부인으로 經史에 能하였다.
　　　　　　경사　　능

No.200

★離恨/恨의 노래　　　　　　　　　恨/한할
　이한　한　　　　　　　　　　　　한

晝閣三更明月下 하고　　　　閣/문설주　更/다시
화 각 삼경 명월 하　　　　　각　　　　경

江淮千里小舟廻 라.
강회 천리 소주 회

淮/강이름
회

廻/돌
회

舟人若解深閨怨 이면
주인 약 해 심규 원

怨/원망할
원

載去阿郎更載來 하리라.
재 거 아랑 갱 재 래

載/실을
재

☞정자에 달이 밝은데
　천리 길을 배가 돌아오네
　뱃사공이 이 한을 풀 수 있다면
　싣고 간 임을 다시 싣고 오련만

※이 시는 밝은 달도 지고 배도 돌아 왔는데, 뱃사람이 안방에서 외로워하는 이 심정을 모르고 임을 싣고 오지 않는 것이라고 원망한 것이다.
☺江淮/물 이름　阿郎/낭군, 신랑.
　강회　　　　　아랑

Hong_Kim

★稀又詩/드문 노래   稀/드물
　희　우　시   희

人生七十古來稀 로소니
　인생칠십고래희

七十加三稀又稀 라
　칠십 가 삼 희 우 희

稀又稀中多男子 하니
　희 우 희 중 다 남자

稀又稀中稀又稀 라
　희 우 희 중 희 우 희

☞인생 칠십 세는 예로부터 흔하지 않는데
　칠십삼 세란 흔치 않는 가운데도 드문 일이네.
　흔치 않는 가운데에 많은 아들을 두었으니
　흔치 않는 가운데서도 흔치않게 드문 일이네.

※이 시는 드문 것을 쓴 것이다, 칠십 세가 사는 것도 드문 일
인데 칠십삼세를 살았고, 거기에 많은 남자를 두니 더욱 드문
일이라고 稱頌한 것이다.　　頌/기릴
　　　　　　칭송　　　　　　　　송

☺古來稀/예로부터 드물다. 당나라 杜甫의 싯구를 인용한 것.
　고래 희　　　　　　　　　　　　　두보

十四歲女兒　　年代와　由來　未詳
십 사 세 여 아　　연대　　유래　미상

★自警/收穫   警/경계할
　자경　수확   경

我年今十四 로소니
아 년 금 십 사

一歲屬於春 이라.
일 세 속 어 춘

春畝不動苦 면　　　　　　　畝/밭이랑
춘 묘 부동 고　　　　　　　　　묘

秋來豈携新 -가.　　　　豈/어찌　　携/끌
추래 개 휴 신　　　　　　개　　　　　휴

☞내 나이 금년에 십사 세인데
　일 년은 봄철에 시작이 되네.
　봄에 부지런히 일을 아니하면
　가을이 와도 거들 것이 없네.

※이 시 는 일 년은 봄에서부터 시작되니 봄에 부지런히 일을
아니 하면 가을에　수확할 것이 없다는 내용이다.
☺춘묘/봄철의 논밭

No.203

★金剛山　　　　　　　　　剛/굳셀
　금강산　　　　　　　　　　강

朝鮮金剛出 하니
조선　금강 출

中原五岳低 라.　　　　岳/큰산　　低/밑.속
중원 오악 저　　　　　　악　　　　저

仙人多窟宅 하니　　　窟/굴/움
선인 다 굴 택　　　　　굴

王母恨生四 이라.
왕모 한 생 사

☞조선에 금강산이 솟아 있으니
　중국의 오악도 낮을 것이네.
　신선들이 깊은 골짜기에 많으니
　왕모가 서쪽에 태어난 것을 한하리.
※이 시는 金剛山의 절승을 읊은 것이다.
　　　　　금강산

☺中原/中國
　중원　중국

五岳/중국의 오악(다섯 개의 높은 산)을 가리킴　窟宅/굴,산속
　오악　　　　　　　　　　　　　　　　　　　　　굴 택

王母/獻仙桃　춤에　仙桃盤을 드리는　女妓,仙母
　왕모　헌선도　　　　선도반　　　　여기　선모

작가　繡香閣 元氏　　　　繡/수놓을　年代瓦 由來 未詳
　　　수 향 각　원씨　　　　수　　　연대 와 유래 미상

★七夕
칠석

烏鵲晨頭集絳河 하니   絳/진홍색
오작 신 두 집 강 하   강

勉教珠履涉淸波 라,   勉/힘쓸   履/신/밟을 涉/거널
면 교 주 이 섭 청 파   면   이   섭

一年一度相思淚 -
일년 일 도 상사 누

滴下人間雨點多 라.   滴/물방울
적하 인간 우점 다   적

☞까마까치 새벽녘에 은하수에 다리 놓아
　사뿐사뿐 물결을 건너 만나게 하네.
　일년에 한 번 만나 그리워 흘린 눈물이
　이 세상에 떨어져 비가 많이 온다네.

※이 시는 牽牛 織女를 까마까치가 다리를 놓아서 서로 만나
　　　　　　견우　직녀
게 하였는데, 일 년에 한 번 만나는 그리운 눈물이 쏟아져 비
가 많이 내리고 있다고 하였다.

☺晨頭/새벽녘 集絳河/은하수에 모였음. 여기서는 모여서 다리
　신 두　　　　집강하
를 놓아 준 것을 말함. 珠履/구슬 신,좋은 신을 신는 것을 말
　　　　　　　　　　　　　주 리
함.

★呈玉山/옥산에서　　　呈/드릴
　정옥산　　　　　　　정

秋淸池閣意徘徊 하여　　徘/노닐= 徊
　추청 지각 의 배회　　　배　　　회

向夜憑欄獨來 라.　　　憑/기댈
　향야빙란독래　　　　　빙

滿水芙蓉三白本 이　　　芙/부용 =蓉/연꽃
　만수 부용 삼백 본　　　부　　　용

送君從此爲誰開 오.
　송군 종차 위수 개

☞맑은 가을 못가에 거닐고 싶어서
　정자에 올라왔는데 달이 비치네.
　물에 가득한 부용꽃 삼백 본이
　그대 떠나면 누구를 위하여 필 것인가.

※이 시는 맑은 가을밤 정자에 올라와 달을 바라보면서 저 부
용꽃이 임이 떠나면 누구를 위하여 피게 될 것인가 하고 임을
보내는 아쉬운 정을 그린 것이다.

☺徘徊/이리저리 돌아다님　向夜/밤이 되어서　芙蓉/부용꽃.
　배회　　　　　　　　　향야　　　　　　부용

崔娘　　娘/아가씨　年代와　由來　未詳
최 낭　　낭　　　　연대　　유래　미상

No.206

★銀河水
　은하수

相望隔河漢 하니
상망 격 하 한

欲濟恨無梁 이라.　　　　　梁/들보
욕 제 한 무 양　　　　　　　　양

驚啼花又落 하니
경 제 화 우 락

知是割愁腸 이라.　　　　　割/나눌
지 시 할 수 장　　　　　　　　할

☞ 서로 바라보니 강이 막혔네
　건너고 싶으나 다리가 없는 것이 한이네.
　꾀꼬리가 울고 꽃이 지니
　창자가 끊어지는 것 같네.

※이 시는 은하수를 사이에 놓고 건너가지 못하는 것으로 자
신이 임과 멀리 떨어져 있어 만나지 못한 심정을 쓴 것이다.
☺河漢/銀河水(河水와 漢水,江)
　하한　　은하수　　하수　　　한수　강

Photowill

No.207

★東西路/동서로 뻗은 길
 동서 로

戚戚東西路 -   戚/겨레/슬퍼하다
 척 척 동 서 로   척

終知不可期 라.
 종 지 불 가 기

誰知一回顧 하여
 수 지 일회 고

交作兩相思 오.
 교 작 양 상 사

☞슬프기만 한 동서로 뻗은 길
  이제 기약할 수 없음을 알았네.
  누가 알 것인가 한 번씩 돌아보는 곳에
  두 사람의 그리운 정이 서려 있음을.

※이 시는 동서로 헤어져 있는 몸이 다시 만나기가 어려워 길
을 걸으면서도 임을 생각하여 뒤돌아보는 심정을 알 사람이
없다고 하였다.

☺戚戚/슬픈 모습   閨秀 安玉媛   秀/빼어날 媛/미인
 척 척   규수 안 옥 원   수   원

No.208

★寒江釣雪/항간에서   釣/낚시
 한 강 조 설   조

雪中春不寒 하니
 설중 춘 불 한

江樹梨花看 이라.
강 수 이화 간

花下釣春色 하여
화하 조 춘 색

新年報長安 이라.
신년 보 장 안

☞봄눈이 내려도 따사하여
  강둑의 배나무에 꽃이 피었네.
  꽃나무 아래서 봄의 사연을 적어
  새해의 소식을 서울에 알리네.

※이 시는 봄이 돌아와 배꽃이 피어 있기에 이 봄 사연을 적어서 서울에 있는 임에게 알리고 싶다는 것이다.
☺釣春色/봄빛을 낚음.봄 소식을 써서. 報長安/장안에 있는 임
  조 춘 색   보 장 안
에게 알림.

No.209

★松都懷古/松都
  송도 회고 송도

雪月前朝色 이요
설월 전조 색

寒鍾故國聲 이라.
한 종 고국 성

南樓愁獨立 하니
남루 수 독립

殘郭暮煙生 이라.   郭/성곽   煙/연기
잔 곽 모연 생   곽   연

☞눈 속의 저 달은 지난 세상에 비치던 달이요
차가운 종 소리는 울리던 소리다.
다락에 서서 수심에 잠겨 있으니
무너전 성터에 저녁 연기가 피어오르네.

※이 시는 눈 속에 비치는 달빛과 차가운 하늘에 울리는 종소
리를 들으며 다락에 올라가 懷古의 정에 빠져 있는데 저녁연
　　　　　　　　　　　　　회고
기가 荒廢한 옛터에 피어나고 있다고 하였다. 　廢/폐할 ☺前朝
　　황폐　　　　　　　　　　　　　　　　　폐　　전 조
色/앞 조정(시대)에 비치던 빛　　故國聲/옛 나라에서 울리던
색　　　　　　　　　　　　　고국 성
소리　殘郭/황폐하여진 성. 작가 女僧 慧定　慧/슬기로울
　　　잔 곽　　　　　　　　　　여승 혜정　혜

No.210

★佛前祝/부처님에게　　　　　佛/부처
　불 전 축　　　　　　　　　　불
一炷升堂拜觀音 하니　　　　　炷/심지
일 주 승당 배관 음　　　　　　　주
不求私福到身臨 이라.
불 구 사복 도 신 임
願言今日香山社 -
원 언 금일 향산 사
無害無災歲月深 이라
무해 무 재 세월 심

☞불을 밝혀 법당에 올라가 부처님을 뇌읍고
복을 끼쳐 달라고 축원한 것이 아니네.
오늘부터 향산사에

해가 없이 이어지기를 빌었네.

※이 시는 불을 밝혀 들고 부처님에게 祝願한 내용이다. 내가
　　　　　　　　　　　　　　　　　　　　축원
부처님에게 축원하는 것은 내 私福을 구한 것이 아니라 香山
　　　　　　　　　　　　　 사 복　　　　　　　　　　　향산
寺가 害가 없기를 바라는 것이라 하였다.
사　 해

☺一炷/등잔불의 심지에 불을 붙이고 拜觀音/觀音菩薩(부처)를
　일 주　　　　　　　　　　　　　　　 배 관 음　관음보살
뵈옵고　菩/보리　薩/보살　　香山寺/절 이름
　　　　　보　　　 살　　　　향산 사

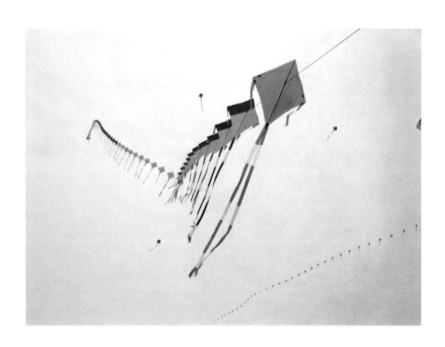

★秋雨/가을 비
　추 우

九月金剛蕭瑟雨 -　　　　　剛/굳셀　　瑟/큰거문고
구월 금강 소 슬 우　　　　　강　　　　　슬

雨中無葉不鳴秋 라.
우중 무 엽 불 명 추

十年獨下無聲淚 하니
십년 독 하 무 성루

淚濕袈衣空自愁 라.　　　　　袈/가사/승려의 옷
누 습 가 의 공 자 수　　　　　가

☞구월 달 금강산에 가을 비가 내리는데
　비를 맞고 나뭇잎이 뚝뚝 떨어지네.
　십 년 동안 홀로 소리없이 흘린 눈물이
　袈衣를 적시며 시름으로 살았네.
　가 의

※이 시는 금강산에 내리는 가을 비에 잎이 지는 것을 보고
십 년 동안 남몰래 적신 눈물이 허무하기 짝이 없다는 시름을
쓴 것이다.

☺無葉不鳴秋/빗방울이 잎에 떨어져 가을을 울리지 않음이 없
　무 엽 불 명 추

음　袈衣/중이 입는 옷. 楊士彦 小室　彦/선비
　　가 의　　　　　　　　양사언 소실　　언

楊鳳來의 小室로 시에 능하였으며 양봉래는 楊士彦으로 書藝
양 봉 래　　소실　　　　　　　　　　　　　양사언　　　　서예

에 能 하였다.
　능

★楊山舘/임을 기다리며　　　舘/객사
　　양 산 관

悵望長途不掩扉 하니　　　悵/슬퍼할　掩/가릴
창망 장도 불 엄 비　　　　창　　　　　엄

夜深風露濕羅衣 라.
야심 풍로 습 라 의

楊山舘裏化千樹 하니
양 산 관 이 화 천 수

日日看花歸未歸 오.
일일 간 화 귀 미 귀

☞멀리 임을 기다리며 사립문을 닫지 않고 있는데
　깊은 밤 이슬이 비단 옷을 적시네.
　임이 계신 곳에는 온갖 꽃이 피어 있어서
　날마다 꽃 보느라 돌아오지 않고 있는지.

※이 시는 멀리 떠난 임을 생각하여 문을 닫지 않고 밤이슬을
맞아가며 기다리고 있으나 임은 오지 않는다, 아마 양산관에
피어 있는 꽃을 구경하느라고 오지 않는 것이겠지 하고 마음
을 달래고 있는 焰心을 알 수 있을 것이다.
　　　　　　　　　　　　　　　　염심

焰/불댕길 ☺不掩扉/사립문을 닫지 않고 있음 楊山舘/집 이름
염　　　　　　불 엄 비　　　　　　　　　　양 산 관

No.213

★綠窓/초생달
　녹창

秋風慽慽動梧枝 하니　　　慽/근심할
추풍 척 척 동 오 지　　　　척

碧落冥冥雁去遲 라.
벽락 명명 안 거 지

斜依綠窓人未見 하고
사 의 녹창 인 미견

一眉新月下西池 이라.
일 미 신월 하 서 지

☞ 가을바람이 슬프게 오동나무에 불어오고
　하늘은 어두운데 기러기 날아가네.
　창에 기대어 임을 그리고 있는데
　초생 달이 서쪽 못가에 지네

※ 이 시는 가을 바람이 오동나무에 불어오고 맑은 하늘에 기
러기는 날아가는데 찾아 오는 사람은 없고 쓸쓸히 앉아 서쪽
에 지고 있는 반달을 바라보고 그 정경을 그린 것이다.

☺ 慽慽/슬픈 모습　碧落/푸른 하늘　一眉新月/한 쪽 눈썹 같
척 척　　　　　벽락　　　　　일 미 신월

은 반달. 지은이 鄭氏 監司 道成의 딸, 黃 釗의 小室이었다
　　　　　　　　정씨　감사　도성　　　황 쇠　소실

釗/사람이름
쇠

mportant_g

No.214

★寄 良人在謫/相思夢　　　　　　謫/귀양갈
기 양인재적 상사몽　　　　　　적

落葉風前舞 하고
낙엽 풍전 무

殘花雨後啼 라.
잔화 우후 제

相思今夜夢 을
상사 금야 몽

月白小樓西 라.
월백 소루 서

☞잎이 바람에 나부끼고
　꽃이 비에 떨어지네.
　그리운 오늘 밤의 꿈이여
　달이 다락 너머에 져가네.

※이 시는 잎이 지고 꽃이 떨어지는 밤에,임을 그리면서 서산
에 넘어가는 달을 바라보고 있는 정경을 그린 것이다

☺寄郎人在謫/남편이 귀양살이하는 곳에 부침 月白小樓西/달
기 랑인재적　　　　　　　　　　　　　　　월백 소루 서

이 작은 다락 서쪽으로 지고 있다. 鄭氏　子順의 딸, 郡守의
　　　　　　　　　　　　　　　　정씨 자순　　　　군수

婦人이었다.
부인

No.215

★太公釣魚島/姜太公
太공 조어도 강태공

鶴髮投竿客 이　　　　　竿/장대
학발 투간객　　　　　　간

超然下世翁 이라.
초연 하세 옹

若非西伯獵 이런들　　　伯/맏　　獵/사냥
약비서백렵　　　　　　　백　　　렵

長半往來鴻 이라.　　　鴻/큰기러기
장 반 왕래 홍　　　　　홍

☞학처럼 머리가 흰 사람 낚싯대를 던지고 앉아 있는데
　초연한 그 모습 세상의 노인같이 여겨지지 않네.
　만일 문왕이 사냥을 와서 데러가지 않았었다면
　언제까지나 물 위에 떠도는 백구와 짝하고 지냈을 것을.

※이 시는 강태공의 조어도를 보고 쓴 것이다. 초연하게 앉아
서 고기를 낚고 있는 강태공을 문왕이 찾아와서 데려가지 않
았으면 언제까지 기러기를 짝하여 위수가에서 낚시질을 하고
있었을 것이라고 표현 하였다.

☺投竿客/낚싯대를 물에 던지고 있는 사람 下世翁/세상에 흔
　　투간객　　　　　　　　　　　　　　　하세 옹

히 볼 수 없는 늙은이(사람) 西伯/中國 古代의 文王을 가리킴
　　　　　　　　　　　　서백 중국 고대　 문왕

작가 鄭氏　年代와　由來　未詳
　　　정씨　연대　유래　미상

★聞啼鳥/새들이 노래하는데
문 제 조

昨夜春風入洞房 하니
작야 춘풍 입 동방

一張雲錦爛紅芳 이라.   爛/문들어질
일 장 운금 란 홍 방   란

此花開處聞啼鳥 하니
차 화개 처 문 제 조

一咏幽姿一斷腹 이라   咏/읊을 幽/그윽할 姿/맵시
일 영 유 자 일 단 복   영   유   자

☞어젯밤 봄 바람이 바람에 스며들더니
  비단이불에서도 향기가 진동하네.
  꽃이 피는 곳에서는 새들이 노래하는데
  아리따운 모습을 바라보고 한숨짓네.

※이 시는 봄 바람이 방에 불어오니 방안에서는 향기가 진동
하는데 새소리를 들으며 쓰린 마음으로 자신의 심정을 읊고
있음을 그린 것이다.

☺一張雲錦/한 장의 비단 옷이나 또는 이불 一咏幽姿/한 번
  일 장 운금   일 영 유 자

아름다운 모습을 읊음. 작가 鄭氏 草溪郡守 點의 딸.延興
                          정씨 초계군수 점   연흥

府院君 金悌南의 子婦이었다.
부원군 김제남   자부

★詠鶴/鶴의 노래   詠/읊을
  영 학 학   영

一雙仙鶴叫淸宵 하니   叫/부르짖을
일 쌍 선 학 규 청소   규

疑是丹丘弄玉簫 -라.　　　　簫/맑은대쑥
의 시 단구 농옥소　　　　　　소

三島十洲歸思濶 하니　　　　濶/근고할
삼도 십주 귀 사 활　　　　　활

滿天風雨刷寒毛 라.　　　　　刷/쓸
만천 풍우 쇄 한 모　　　　　쇄

☞한 쌍의 학이 맑은 밤에 우는데
　이것이 신선이 옥통소를 부는 것이라 생각이 되네.
　이 넓은 천지에 어디를 날아가고 싶은가
　휘몰아치는 비바람에 철길을 씻네.
※이 시는 학의 고상한 모습을 표현한 것이다.

☺丹丘/신선이 산다는 가상적인 언덕.　三島/신선이 사는 섬
　단구　　　　　　　　　　　　　삼도

十洲/신선이 산다는 섬.
십주

鄭氏　　　年代와　　由來　未詳　　　詳/자세할
정씨　　　연대　　　유래　미상　　　상

★江舍/江邊
　강사　강변

來訪沙鷗約 하니　　江皐木葉飛 라　　鷗/갈매기
래 방 사 구 약　　　강고 목엽 비　　구

園收芋栗富 요　　　綱擧鰕魚肥 라.　　皐/부르는소리
원 수 저 율 부　　　강 거 하 어 비　　고

蹇箔看山翠 요　　　開樽對月輝 라　　芋/모시
건 박 간산 취　　　개 준 대 월 휘　　저

夜凉淸不寐 하니　　松露滴羅衣 라.　　蹇/절
야 량 청 불 매　　　송로 적 라 의　　건

箔/발　　　輝/빛날　　滴/물방울
박　　　　휘　　　　　적

☞갈매기 찾아 강가에 오니
언덕의 나뭇잎이 나네.
집에 토란과 밤이 널려 있고
그물에 고기가 주렁주렁하네.
발길을 멈추고 산을 바라보고
술잔 앞에 달 그림자를 보네.
밤이 차가워 잠이 오지 않으니
이슬이 비단 옷을 적시네.
※이 시는 강촌의 생활을 읊은 것이다.

☺鰕魚/새우나 고기　崔氏　丁志遜의　婦人이다　　遜/겸손할
　하 어　　　　　　　최씨　정지손　부인　　　　　손

No.217

★得寧衙消息/消息을 듣고　　　　　　　　　　衙/마을
　득 영 아 소식　소식　　　　　　　　　　　　　아

春窓寂歷雨燈虛 하니　　五夜云誰叩弊盧 오
춘창 적 역 우 등 허　　　오야 운 수 고 폐 노

人自半千脩嶺外 요　　　書傳一朔渴望餘 라.
인 자 반 천 수 영 외　　　서전 일삭 갈망 여

高堂政體連平吉 이요　　仲氏文攸善起居 라.
고당 정체 연 평 길　　　중씨 문 유 선 기 거

怊悵三冬違定省 하니　　遠天回首意何如 오
초창 삼동 위 정성　　　원천 회수 의 하여

叩/두드릴　　弊/해질　　盧/밥그릇　　脩/포　　朔/초하루
　고　　　　페　　　　노　　　　수　　　삭

渴/목마를　　仲/버금　　攸/揮帳　　怊/슬플　=悵
　갈　　　　중　　　　유　휘장　　초　　　창

☞포근한 봄날 밤비가 내리는데
한밤에 누가 문을 두드리는가.
사람은 오백리 험한 산을 넘어서 오고
편지는 한 달 동안 기다리던 참에 이르렀네.
어른님 몸 객지에서 편안하시고
작은 오빠도 아무 탈 없이 지내고 계시네.
삼동을 어버이를 뵈옵지 못하고
멀리 바라보고 있는 이 심정 어떠리.

※이 시는 객지에 계신 아버지의 소식이 궁금한 즈음에 소식을 듣고 그리워했던 상황과 안부 등을 쓰고 부모님을 살펴드리지 못하고 그리워하고만 있는 심정을 쓴 것이다.
☺寂歷/고요하게 흐름   高堂正體/아버지의 정무에 계신 몸.
  적 력   고당 정체

103924

No.218

★蕭蕭聲/부슬부슬 비가 내리는데
　　소 소 성

窓外雨蕭蕭 하니
창외 우 소 소

蕭蕭聲自然 이라.
소 소 성자 연

我聞自然聲 하니
아 문 자 연 성

我心赤自然 이라.
아 심 적 자연

☞창 밖에 비가 부슬부슬 내리는데
　부슬부슬 내리는 소리는 자연의 소리라네.
　내가 자연의 소리를 듣고
　내 마음도 또한 자연이 되었네.

※이 시는 창밖에 쓸쓸이 내리는 비는 곧 자연의 소리요, 자연
의 소리를 들으니 따라서 내 마음도 자연에 가깝다는 것을 쓴
것이다.　☺蕭蕭/쓸쓸한 것.
　　　　　　　　소 소

No.219

★白日
　백일

白日懸天上 하니　　　　　　　　懸/매달
백일 현천 상　　　　　　　　　　현

天高白日長 이라.
천 고 백 일 장

只恐浮雲近 하여
　　지 공 부 운 근
只/다만　恐/두러울
　지　　　공

蔽此明明光 이라.
　폐 차 명 명 광
蔽/덮을
　폐

☞해가 하늘에 달렸는데
　하늘이 높아서 해도 기네.
　다만 떠가는 구름이 가까이 와서
　이 밝은 햇빛을 가릴까 걱정이 되네.

※이 시는 하늘에　뜬 밝은 해를 구름이 덮을가 두렵다고 표현 하였다.
☺明明光/밝고 밝은 햇빛.　金氏　慶參判　最一의 婦人이다
　명 명 광　　　　　　　김씨　경 참 판　최 일　　부인

No.220

★春日/봄날
　　춘일

田疇生潤水增波 하니
전 주 생 윤 수 증 파
疇/밭두둑　潤/젖을　增/불을
　주　　　윤　　　증

農務應從夜雨多 라.
농 무 응 종 야 우 다

庭草漸長花落盡 하니
정 초 점 장 화 락 진

一年春色夢中過 라.☞논밭에 물이 불어나 윤기가 도네
일 년 춘 색 몽 중 과

농사는 어젯밤 내린 비로 시작이 되네.
뜰에는 파란 풀꽃이 져가는데

한 해의 봄이 꿈속에 지나가네.

※이 시는 비가 와서 농사 일이 바빠지는데 봄은 어느새 꿈결 속에 지나갔다는 것을 그린 것이다. ☺田疇/밭　農務/농사 일
전주　농무

No.221

★雨聲多/빗소리
　우성　다

向來消息問如何 요
향 래 소식 문 여하

一夜相思鬢欲華 라.　　　　鬢/살쩍
일야　상사 빈 욕화　　　　빈

獨倚彫欄眼不成 하니　　　彫/새길
독 의 조 난 안 불성　　　　조

隔簷疎竹雨聲多 라.
격 첨 소 죽 우 성 다

☞요즈음 우리 임은 어떻게 지내시는가
　밤 사이 임 생각으로 머리가 희여졌네
　난간에 기대어 잠을 이루지 못하는데
　밭 너머 대숲에서 빗소리만이 들리네

※이 시는 임의 소식을 알 길이 없어 시름으로 인하여 밤 사이에 머리가 희여졌다는 것과 밤에 자지 않고 창 너머 대숲에 지는 빗소리만을 외로이 듣고 있는 심정을 쓴 것이다.

☺鬢欲華/머리가 희려고 한다.華는 花자의 뜻임 彫欄/곱게
　빈 욕화　　　　　　　　화　화　　　　조 란

彩色을 한 난간, 기둥
채색

No.222

★霜降/서리 내리니   降/내릴
  상강   강

遠樹霜初落 하니
원 수 상 초 락

西天雁自飛 라.
서 천 안 자 비

滄江愁獨去 하니   滄/찰
창 강 수 독 거   창

何日歸故園 -고
하 일 귀 고 원

☞높은 가지에 서리가 내리니
  하늘에 기러기가 날아오네.
  강물에 시름이 외롭게 떠가는데
  어느 날이나 고향에 돌아갈 것인가.

※이 시는 서리가 내리고 기러기가 나는 가을에 강물을 바라
보며 고향에 가고 싶어하는 심정을 쓴 것이다.
☺滄江/바람 이름인데,푸른 강으로 쓴 것임.
 창강

★春事/봄이 돌아왔는데
  춘 사

逢春柔瀨不勝軀 하니   瀨/여울   軀/몸
봉 춘 유 뢰 불승 구   뢰   구

愛看蘇郎織錦圖 라   蘇/차조기
애 간 소 랑 직금 도   소

強畫娥眉無箇事 하니　　　娥/예쁠　　箇/낱
강화아미무개사　　　　　　　아　　　　개

杜鵑技下數花鬚 라.　　　　鵑/두견이　　鬚/수염
두견 기 하 수 화 수　　　　　견　　　　　수

☞봄이 돌아오니 몸을 가누지 못하고
　임을 그리며 그림을 보고 있네.
　일부러 눈썹을 그리고 앉아 있는데
　소쩍새 우는 나뭇가지에 꽃이 피었네.

※이 시는 봄이 돌아와 연약한 몸을 일으켜 임의 글씨를 보고
있는데 진달래꽃이 피고 있다는 것을 쓴 것이다.

☺柔瀨/여자의 부드러운 기질 蘇郎織錦圖/소 서방이 써준 글
　유 뢰　　　　　　　　　　　　소 랑 직금 도

씨에다 수를 놓은 그림. 强畫/일부러 그림 數花鬚/진달래의 꽃
　　　　　　　　　　　　강 화　　　　　　수 화 수

수염, 두어 개의 꽃수술. 작가 宋氏 眉庵 柳希春의 夫人,新平
　　　　　　　　　　　　　　　송씨 미암 유희춘　부인 신평

宋駿의 딸로 經史에 通하고 詩에 能 하였다.
송준　　　　경사　　통　　시　　능

No.223

★題新舍/새 집에 붙여서
　제 신 사

天公爲送三山壽 하고
천공 위 송 삼산 수

靈鵲來通百世榮 이라.
영작 래 통 백세 영

萬頃良田非我願 이라　　　　頃/밭넓이
만경 양전 비아 원　　　　　　경

鴛鴦和樂過平生 이라.   鴛/원앙 =鴦
원앙 화락 과 평생   원   앙

☞하늘이 수와 복을 내려주시고
　까치는 끝없는 영화를 알려주네
　많은 옥토를 가지는 것이 나의 소원이 아니고
　임과 함께 일평생을 즐겁게 살고 싶네

※이 시는 하늘이 많은 수를 점지하고,까치가 상서로움을 알려
주고 있다. 좋은 논을 많이 지어서 잘 사는 것이 소원이 아니
라 임과 함께 평화스럽게 사는 것이 소원이라고 描寫하였다
　　　　　　　　　　　　　　　　　　　　　　　　　　　묘사

☺天公/하늘　三山壽/많은 수, 삼산산의 수　百世榮/백 세토록
　　천공　　　삼산　수　　　　　　　　　　백세　영

영화스러움, 영화를 누림.

波胡

No.224

★贈親族宋震/祠堂
　증　친족　송진　사당

贈/보낼　震/벼락　祠/사당
증　　　　　진　　　　사

此地先家廟 -
차지　선가묘

廟/사당
묘

經營百歲新 이라.
경영　백세　신

華堂男女盛 하니
화당　남녀　성

應悅祖上神 이라.
응　열　조상신

悅/기쁠
열

☞이 곳에 조상의 사당이 있는데
　긴 세월 동안 가꾸어 왔네
　집안에 자손들이 득실거리니
　조상의 신들도 기뻐하겠네

※이 시는 조상의 사당을 잘 모시어 자손이 흥성하게 되니 조상들도 기뻐할 것이라고 표현하였다.

☺先家廟/집안의 선대 조상을 모신 사당　華堂/행복 스런 집
　선가묘　　　　　　　　　　　　　　　화당

No.225

★酒醉/술에 취하니
　주 취

天地雖云廣 이나
천지　수　운　광

雖/비록　　　云/이를
수　　　　　운

幽閨未見眞 이라.
　유규 미견 진

幽/그윽할　閨/규방
　유　　　　규

今朝因半醉 하니
　금조 인 반 취

四海闊無津 이라.
　사해 활 무 진

闊/트일
　활

☞천지가 넓다고들 하였지만
　규방에서 참뜻을 몰랐네.
　오늘 아침 술에 취하여 보고
　이 세상이 끝이 없음을 알았네.

※이 시는 넓은 천지를 모르고 좁은 안방에 살다가 술을 마셔
취하니 온 세상이 내 것처럼 생각이 든다는 것을 표현한 것이
다.　☺幽閨/깊숙한 안방　闊無津/넓어서 갓이 없음.
　　　　유규　　　　　　활 무 진

Agnes Zhou

No.226

★摩天嶺
　마천령

摩/갈
　마

行行遂至摩天嶺 하니
행 행 수 지 마 천령

遂/이를
　수

東海無涯鏡面平 이라,
동해 무애 경면 평

涯/물가
　애

萬里婦人何事到 요
만리 부인 하사 도

三從義重一身輕 이라.
삼종 의 중 일신 경

☞걷다 보니 마천령에 이르렀네
　　동해는 끝없이 펼쳐진 거울.
　　만리 길을 어찌 왔는가
　　삼종의 도리를 지킬 수 밖에.

※이 시는 마천령의 마루에 올라서 보니 동해가 거울처럼 맑게 펼쳐 있다, 여자의 몸으로 이곳까지 온 것은 三從의 義理
　　　　　　　　　　　　　　　　　　　　　　삼종　　의리
때문에 내 몸을 돌보지 않고 왔다는 것이다.
☺摩天嶺/산 이름 鏡面平/수면이 평평하다
　마천령　　　　　　경면 평

三從/여자의 삼종지도를 말함.삼종은 어렸을 때는 부모를, 출가
삼종
해서는 남편을, 남편이 죽으면 아들을 쫓아서 산다는 여자의
지켜야 할 도리를 말함

★自比元公/옛 사람처럼
자 비 원공

自比元公無物欲 하니
자 비 원공 무 물욕

如何耿耿五更闌 -가.　　　耿/빛날　　闌/가로막을
여하 경경 오경 란　　　　　　경　　　　　　란

玉堂金馬雖云樂 이라　　　雖/비록　　云/이를
옥당 금마 수 운 락　　　　　　수　　　　　　운

不若秋風任意還 이라.
불 약 추풍 임의 환

☞스스로 옛 사람처럼 물욕이 없다더니
　어찌하여 깊은 밤에 시름하는가
　호사스런 벼슬 길이 좋다고는 하지만
　가을 바람에 구경다니는 것만 못할 것이네

※이 시는 모든 名譽와 욕심을 떠났으면서도 밤에 왜 자지 않
　　　　　　명예
고 시름하는가? 벼슬이 좋다고 하지만 가을밤에 마음대로 돌
아다니며 구경하는 것만 같지 못하다고 하였다.

☺元公/청백으로 이름이 높은 옛 중국의 사람을 뜻함
　원공

耿耿五更闌/오경토록 까막까막 자지 않고 있음
경경 오경 란

　玉堂金馬/한림원을 금마옥당이라 함,곧 높은 벼슬을 뜻함.
　옥당 금마

　작가 蘭西　年代와 由來 未詳
　　　　난 서　　연대　　유래 미상

★上元佳節/佳節에
　　상원　가절　　가절

春寒雪未殘 하니
　春寒 설 미 잔

明月大江寬 이라.　　　　　寬/너그러울
　명월　대강　관　　　　　　　관

千年繁華地 에　　　　　　　繁/많을
　천년　번화　지　　　　　　　번

士女共得歡 이라.
　사녀　공 득 환

☞봄날이 차가워 눈이 녹지 않는데
　달빛은 강에 평화롭게 비치네.
　지난날 찬란했던 이곳에서
　남녀들이 기쁨을 나누고 있네.

※이 시는 음력 정월 보름날 달이 밝은데 옛적 번화하던 곳에
서 남녀들이 즐겁게 노는 것을 보고 표현한 것이다.
☺上元/음력 정월 보름날　大江寬/큰 강이 평화롭다.　大江寬/
　상원　　　　　　　　　　　대강　관　　　　　　　　　　대강　관

큰 강이 평화롭다.　潭桃　潭/깊을　年代와　由來 未詳
　　　　　　　　　　담 도　담　　　연대와　유래 미상

№.229

★歲暮/그믐 밤에
　세모

婆娑竹影邊 에　　　　　　婆/할미　娑/가사
　파사 죽 영 변　　　　　　파　　　사

刺繡倚窓眠 이라.
　자수 의 창 면

梅欲將花候 하니　　　候/물을
<small>매 욕 장 화 후</small>　　　　　<small>후</small>

雙蛾又一年 이라.　　　蛾/나방
<small>쌍 아 우 일 년</small>　　　　<small>아</small>

☞춤춘는 대 그림자 옆에서
　수를 놓으며 창에 기대어 조네
　매화꽃이 지고자 하는데
　고운 얼굴이 또 일 년을 보내네

※이 시는 대나무 그림자가 움직이는 창가에서 수를 놓다가
잠을 자며 마지막 해를 보내는 안타까움을 쓴 것이다.
☺婆娑/춤추는 모습　刺繡/수를 놓음　雙蛾/두 눈
<small>파사</small>　　　　　　　<small>자수</small>　　　　　<small>쌍아</small>

No.230

★次蒼虎軒韻/蒼虎軒의 詩를 보고
<small>차 창 호 헌 운 창 호 헌　시</small>

鶴踏松枝虎踞軒 하니　　　踞/웅크릴　軒/추녀
<small>학 답 송 지 호 거 헌</small>　　　　<small>거</small>　　　　<small>헌</small>

居人設是即仙圖 라.
<small>거 인 설 시 즉 선 도</small>

不知洞裏春來旱 하니　　　旱/가물
<small>부 지 동 리 춘 래 한</small>　　　　<small>한</small>

千片桃花點水煩 이라.　　　煩/괴로워할
<small>천 편 도 화 점 수 번</small>　　　　<small>번</small>

☞학처럼 깃들고 범처럼 서리고 있으니

사는 사람들이 선원이라고 말하네.
마을 안에 봄이 온 것도 모르고 있는데
지금 복사꽃이 물 위에 한창 지고 있네.

※이 시는 蒼虎軒에 대하여 지은 시의 韻을 따서 쓴 것인데
　　　　　　창 호 헌　　　　　　　　　운
곧 창호원의 정경을 읊은 것이다.
☺虎踞軒/옥호를 창호헌 이라 하였고 범과 학을 그린 그림이
　호거 헌
있기 때문에 범이 집에 도사리고 있다고 하였음.

仙圖/신선도의 그림　　　點水煩/물에 자주 떨어짐.
　선 도　　　　　　　　　　점수 번

林碧堂 金氏 義城 사람(義城人)金別應의 딸,兪賢良 汝舟夫人
임 벽 당 김씨 의성　　　　　의성인　김 별 응　　　　유 현 량 여 주 부인
으로 시에 능하였으며 詩集 한 권이 전한다.
　　　　　　　　　　　시집

No.231

★僻地/구석진 땅　　　　　　　僻/후미질
　벽지　　　　　　　　　　　　　벽

地僻人來少 하고
지벽 인래소

山深俗事稀 라.
산심 속사 희

家貧無斗酒 하니
가빈 무 두주

宿客夜還歸 이라.
숙객 야 환귀

☞땅이 구석져서 오가는 사람 적고

산이 깊으니 세상 일 알 길이 없네.
집이 가난하여 술이 없으니
손님이 자러 왔다가 돌아가네.

※이 시는 땅이 窮僻하고 , 산이 깊은 것은 仙境에 가깝지만
      궁벽   선경
집이 가난하여 술이 없기 때문에 잘 손님도 돌아간다고 하였
다.

☺地僻/**땅이 궁벽함** 俗事/**세사의 속된** 隱松   隱/**숨길** 年代
  지벽   속사   은 송   은   연대

와 由來 未詳
    유래 미상

Agnes Zhou

★달을 보고

圓滿中天月 이
원만 중천 월

光明四海同 이라.
광명 사해 동

太嫌玉露面 하여　　　　　　　　嫌/싫어하다/의심하다
태 혐 옥로 면　　　　　　　　　　　혐

隱影碧梧桐 이라.
은 영 벽오동

☞중천에 뜬 둥근 달이
　온누리를 밝게 비춰 주네.
　이슬에 비치는 것을 꺼리어
　벽오동에 그림자 졌네.

※이 시는 밝은 달이 이슬에 비치는 것을 꺼리어 그림자를 오
동나무에 숨기고 있다고 표현하였다.
☺四海/온 누리.　　陰松　年代와　由來　未詳
　사해　　　　　　음 송　연대　유래　미상

★養蠶/누에를 치며　　　　　蠶/누에
　양잠　　　　　　　　　　　잠

玄玄白白漸延舒 하니　　　延/끌　舒/펼
현현 백백 점 연서　　　　　연　　서

初不勻盈今斗輿 라.　　　勻/구기　輿/수레
초 불 작 영 금 두 여　　　작　　　여

明年此種應多倍 하리니　　　　倍/곱
명년 차종 응 다 배　　　　　　배

爲拓桑田數畝餘 라.　　　　　拓/주울　畝/이랑
위 척 상전 수 묘 여　　　　　척　　　묘

☞까맣고 흰 것이 점점 커가는데
　처음에는 술잔에 찰 정도이던 것이 지금은 몇 말이 되었네
　명년에는 이 종자를 배로 늘일 것이니
　뽕밭을 많이 일구어야겠네

※이 시는 누에의 커가는 것을 그린 것인데 명년에는 씨를 많이 받고 밭을 일구어서 뽕나무를 많이 가꾸겠다고 하였다.

☺玄玄白白/누에의 까맣고 흰 것을 말함　延舒/몸이 점점 커짐
　현현 백백　　　　　　　　　　　　　　연 서

斗輿/큰 말로 한 말이 됨.　　南氏　年代와　由來　未詳
두 여　　　　　　　　　　　남씨　연대　　유래　미상

No.234

★寄兒死/아이를 잃고　　　　　寄/부칠
기 아 사　　　　　　　　　　기

九歲七年病 하니
구 세 칠년 병

歸臥爾應安 하리라,　　　　臥/엎드릴　爾/너/그이
귀와 이 응 안　　　　　　　와　　　　이

可憐今夜雪 에　　　　　　　憐/불쌍히여길
가련 금야 설　　　　　　　련

離母不知寒 이라.
리 모 부 지 한

☞구 년 동안에 칠 년을 앓다가

세상을 떠났으니 너는 편하겠다.
오늘 저녁 눈이 쏟아졌는데도
어머니 곁을 떠나 춥지나 않는지.

※이 시는 구년 동안에 칠년 동안 앓다가 죽은 아이를 위로
하여 지은 것이다.

☺歸臥/죽어서 땅 속에 누워 있음.   宋媛   媛/美人/優雅한
　귀와   송 원   원 미인 우아
女人
여인

zhughe

★歎息　　　　　　　　歎/읊을
　탄식　　　　　　　　　탄

十五嫁遊子 하니　　　　嫁/시집갈　　遊/놀
십오 가 유 자　　　　　　가　　　　　　유

二十擒未歸 라.　　　　　擒/모으다
이십 추 미 귀　　　　　　추

縱欲道心事 나　　　　　縱/늘어지다
종 욕 도심 사　　　　　　종

與須相見稀 라.　　　　　與/줄　　　　須/모름지기
여 수 상견 희　　　　　　여　　　　　　수

☞십오 세에 한량에게 시집갔더니
　이십 세가 되어도 집에 돌아오지 않네.
　비록 한을 말하고 싶어도
　서로 만날 날이 없네.

※이 시는 십오 세에 속 못차리는 남자에게 시집을 갔는데 이
십 세가 되어도 집에 돌아오지 않으므로 마음 속을 말하고 싶
지만 만날 기회가 없다는 것이다.
☺道心事/마음에 있는 것을 말함. 與須/더불어, 함께, 모름지기
　도심 사　　　　　　　　　　　　여 수

全州 民家女
전주　 민가 여

★房中月/촛불
　방중 월

夜燭房中月 이요
　　야 촉 방중 월

朝煙屋上雲 이라.　　　　　　　　　　屋/집
　　조연 옥상 운　　　　　　　　　　　　　옥

山立千年色 이요
　　산 립 천년 색

江流萬里心 이라.
　　강류 만리 심

☞밤의 촛불은 밤중의 달이요
　아침의 연기는 옥상의 구름이라
　산은 몇 천년의 빛이요
　강은 만 리의 마음이라

※이 시는 촛불과,연기와,산과 강을 표현한 것이다.
☺房中月/방 가운데 비치는 달.　작가　義洲妓生
　방중 월　　　　　　　　　　　　　　　의 주 기생

No.237

★送人/사람을 보내며
　송인

去去平安去 하소서
　거 거 평안 거

長長萬里多 를.
　장장 만리 다

瀟湘無月夜 에　　　　　　　瀟/강이름= 湘
　소상 무 월야　　　　　　　　소　　　　　상

孤叫雁聲何 오.　　　　　　　叫/부르짖을
　고 규안 성하　　　　　　　　규

☞가는 길 편안히 가소서

길고 긴 만 리 길을.
소상강 달 없는 밤에
기러기 소리를 어떻게 들으려오.

※이 시는 먼 길을 편안히 가라고 하면서 달 없는 밤에 기러
기가 울면 旅窓에서 어떻게 지낼 것인가 걱정하고 있다.
　　　　　　　여 창
☺瀟湘/소상강(중국에 있음)을 말하는데 여기서는 그냥 쓴 것
　소상
임.
작가: 一枝紅　成川의　妓生
　　　　일 지 홍　성천　　기생

pcsfish

★離別/離別을 하고
이별 이별

駐馬仙樓下 하고
주 마 선루 하

殷勤問後期 라.
은 근 문 후 기

離筵樽酒盡 하니
이연 준주 진

花落鳥啼時 라.
화 락 조 제 시

☞말을 다락 아래로 매놓고
  은근히 만날 날을 물어보네.
  임을 보내면서 술잔을 기울이니
  꽃은 지고 새도 슬피 우네.

※이 시는 말을 정자 아래에 매어 놓고 다정하게 후기를 약속
하는 자리에서 술을 기울이고 있는데,마침 꽃이 지고 새가 울
고 있다고 하였다.

☺仙樓/신선이 산다는 다락. 경치가 아름다운 다리 後期/뒤의
  선루   後期
                                                      후기

기약. 작가 平壤女   壤/흙
            평양 여   양

★桃花枝/가지를 꺾네
  도 화 지

美人下堂去 하여
미인 하당 거

含笑折夭桃 라.　　　　　　　夭/어릴
함소 절요도　　　　　　　　　요

不知纖手短 하고　　　　　　纖/가늘
부지 섬수 단　　　　　　　　섬

還罵桃枝高 라.　　　　　　　罵/욕할
환 매 도지 고　　　　　　　　매

☞미인이 뜰에 내려가면서
　웃음을 띠고 복사꽃을 꺽네.
　옥 같은 손이 짧은 것은 모르고
　도리어 꽃가지가 높은 것을 탓하네.

※이 시는 美人이 방에서 내려와 복숭아 가지를 끊는데, 손이
　　　　　　미인

짧아 닿지 않으니 복숭아 가지가 높다고 妬情대는 것을 그 린
　　　　　　　　　　　　　　　　　　투정

것이다.　　妬/강샘할
　　　　　　투

☺纖手短/纖纖玉手가 짧은 것을 알지 못하고 還罵/도리어 꾸
　섬수 단　섬섬옥수　　　　　　　　　　　환 매

짖음. 작가 小香　　年代와　由來 未詳
　　　　　소 향　　연대　　유래 미상

No.239

★江南曲
　강남곡

雁盡江霜白 하니
안 진 강상백

一書況復遲 라.　　　　　　　況/하물며
일서 황부지　　　　　　　　　황

無端瑤琴冷 하니　　　端/바를　　瑤/아름다운옥
무 단 요금 냉　　　　　단　　　　요

風雨漫相思 라.
풍우 만상사

琴/거문고
금

漫/질펀할
만

☞기러기 날아가고 서리가 하얗게 내렸는데
　임의 소식이 더디기만 하네.
　무단히 거문고를 타면서
　비바람 속에서 임을 그리고 있네.

※이 시는 기러기는 날아가는데, 便紙는 오지 않아 거문고를
편지

타며 부질없이 임을 그려보는 心情을 쓴 것이다.
심정

☺雁盡/기러기가 다 날아갔음,기러기도 날아가고
안 진

況復遲/어찌 그렇게 더디냐의 뜻임
황 부 지

瑤琴冷/거문고 소리가 차갑게 들림
요금 냉

漫相思/부질없이 서로 생각함.
만 상 사

硏丹　硏/갈　丹/붉을　年代와　由來　未詳
연 단　연　단　연대　유래　미상

No.240

★相別/서로 보내면서
상별

君垂送妾淚 하고
군 수 송 첩 누

妾亦淚含歸 라.
첩 역 누 함 귀

願作陽臺雨 하여
원 작 양대 우

更灑郎君衣 라.
갱 쇄 낭군 의

☞郎君이 이 몸을 보내면서 눈물을 짓고
　낭군

이 몸도 눈물을 흘리면서 돌아왔네.

내 陽臺의 비를 만들어서
　　양대

임의 옷에 뿌리고 싶네.

※이 시는 送別의 시로 눈물을 흘리며 보내고 돌아와서 눈물
　　　　송별

이 비가 되어 임의 옷을 빨아 주었으면 한다고 읊었다.

☺君垂送妾淚/그대는 첩을 보내며 눈물을 흘리고　陽臺雨/양
　군 수 송 첩 루　　　　　　　　　　　　　　　　양대 우

대에 오는 비 작가 柳氏 同知 南鍾萬의 어머니이며 藥泉의
　　　　　　　　유씨　동지　남 종 만　　　　　　　약천

從嫂이다.
종수

mercierzeng

★嘲藥泉相公/藥泉公　　　　　嘲/비웃을
　조약천상공　약천　공

藥泉老相公 을
　약천　노상 공

誰云筋力盡 이라.　　　　　誰/누구　　云/이를
수 운 근력 진

行年七十三 에
행년 칠십 삼

親煎佛手散 이라　　　　　煎/달일
친 전 불 수 산

☞藥泉의 늙은 相公을
　약천　　　　상공

누가 筋力이 없다고 하였는가.
　　근력

나이 칠십삼 세에

몸소 佛手散을 다리고 있네.
　　불 수 산

※이 시는 南九萬이 나이 칠십삼 세에 그 別室(작은 부인)이
　　　　　남구만　　　　　　　　　　　별실

아이를 낳으매 친히 약을 다린다는 소문을 듣고 嘲弄하여 지
　　　　　　　　　　　　　　　　　　　조롱

은 시이다.　☺藥泉相公/南九萬을 가리킴. 佛手散/아이를 낳을
　　　　　　　약천　상공　남구만　　　　불 수 산

때 쓰는 약. 秋香　　年代와　由來 未詳
　　　　　추 향　　연대　　유래 미상

★秋月夜/가을 달밤에
　추월 야

移棹淸江口 하니　　　　　　棹/노
이 도 청 강 구　　　　　　　　　　도

驚人宿鷺飜 이라.　　　　　鷺/해오라기　　飜/뒤칠
경 인 숙 로 번　　　　　　　로　　　　　　번

山紅秋有色 이요
산 홍 추 유 색

沙白月無痕 이라.　　　　　痕/흉터
사 백 월 무 흔　　　　　　　흔

☞노를 저어 강 어귀에 이르니
　놀란 해오라기 날개를 퍼덕이네.
　산이 붉고 가을도 빛이 어리는데
모래는 희고 달은 둥그네.

※이 시는 가을 달이 밝게 비치고 있는 江邊의 情景을 읊은
　　　　　　　　　　　　　　　　강변　　 정경
것이다.

☺驚人宿鷺飜/사람에게 놀라서 자던 해오라기가 날고 있음
　경 인 숙 로 번

月無痕/달이 흠이 없이 둥근 것
월 무 흔

작가 洪唐城 小室　　　年代와 由來 未詳
　　　　홍 당 성 소실　　　연대　　유래 미상

№.243

★閨思/돛단 배
　규 사

童報遠帆來 하여
동 보 원 범 래

忙登樓上望 이다.　　　　　忙/바쁠
망 등 루 상 망　　　　　　　망

望潮直過門 이어늘　　　　　　　潮/조수
망 조 직 과 문　　　　　　　　　　조

背立空怊悵 이라.　　　　　　　怊/슬플= 悵
배립 공 초 창　　　　　　　　　　초　　　창

☞멀리 돛단배가 온다기에
　바삐 다락에 올라가 바라보네.
　그냥 문 앞을 스쳐가기에
　돌아서서 한숨지었네.

※이 시는 아이가 배가 떠온다고 하여 다락에 올라가 보았더
니 사람도 내려놓지 않고 배가 곧바로 문 앞을 스쳐가기에 되
돌아서 한숨지었다는 것이다

☺直過門/똑바로 문 앞을 지나가버림　　怊悵/슬픈 모습.
직 과 문　　　　　　　　　　　　　　　초창

작가 郭氏　郭/성곽　號는 晴窓,師傅,始徵의 딸, 金銑根의 부인
　　　곽씨　곽　　　호　　청창　사부　시징　　　　김선근

으로 詩文에 능하였으며 文集 여섯 권이 있다.
　　　시문　　　　　　　　문집

傅/스승　徵/부를　銑/끝
부　　　　징　　　　선

No.244

★應口詩/사공
　응구 시

海涵天日晚 이요　　　　　　　涵/젖을　　　晚/저물
해함 천일 만　　　　　　　　　함　　　　　만

花續一年紅 이라.　　　　　　　續/이을
화 속 일년 홍　　　　　　　　　속

滿江魚舟子 -
만 강 어주자

停帆向晚風 이라.　　　停/머무를　帆/돛
정 범 향 만풍　　　　　　정　　　범

☞바다는 저녁놀에 타고
　꽃은 일 년을 계속 피네.
　강 위에 떠가는 뱃사람들이
　닻을 놓고 바람에 서 있네.
※이 시는 韻字가 떨어지지 바로 쓴 것이다, 바다는 햇빛에 어
운자

려 붉게 타고, 꽃은 일 년을 계속 피고 있는데 漁夫가　닻을
어부

놓고 바람을 향하고 서 있는 모습을 그린 것이다.　※魚舟子/
어주자

뱃사공

leegenhyung

★辭尹白下/임과 이별하고
　사 윤 백하

溪路暮烟起 하니　　　　　　　烟/연기
계로 모 연기　　　　　　　　　연

斜陽白鷺前 이라.　　　　　　　鷺/해오라기
사양 백로 전　　　　　　　　　로

君家去漸遠 하니
군 가 거 점 원

歸家不忍鞭 이라.　　　　　　　鞭/채찍
귀가 불인 편　　　　　　　　　편

☞시냇가에 저녁 연기가 피어나니
　白鷺 나는 바다에 해가 지네.
　백로
　임의 집이 점점 멀어지는데
　집에 돌아가는 말을 몰지 아니하네.

※이 시는 저녁 연기가 피어나고 白鷺가 나는데 임을 이별 하
　　　　　　　　　　　　　　　백로
고, 임의 집이 멀어지는 것이 안타까워 회초리로 말을 때리지
않고 서서히 가는 모습이 씌어진 것이다.

☺不忍鞭/차마 회초리로 말을 때릴 수가 없음.
　불인 편

光州 交官 李漢妹　　漢/물이름　妹/누나　　年代와由來　未詳
광주 교관 이영매　　영　　　　매　　　　연대　유래　　미상

★題繡梅枕/수를 놓고
제 수 매 침

一幅寒槎色 이   幅/폭   槎/나무벨
일폭 한 사 색   폭   사

佳人繡裏新 이라.
가인 수 이 신

冰條與雲萼 이   萼/꽃받침
빙 조 여 운 악   악

長帶枕邊春 이라.
장 대 침변 춘

☞한 폭의 차가운 빛깔들이여
  여인이 수 솜씨가 아름답네.
  가지와 꽃송이여
  베갯모에 봄이 항시 깃들고 있네.

※이 시는 목침에 수를 놓은 것을 보고 쓴 것이다, 얼음같이
차갑게 보이는 가지에 구름이 피어나는 것 같은 꽃이 베겻머
리에 항시 봄을 장식하고 있다는 것을 쓴 것이다.
☺寒槎色/차가운 가지의 빛 冰條與雲萼/얼음 같은 줄기와 구
  한 사 색   빙 조 여 운 악

름이 꽃처럼 피는 모습. 작가 沈 氏   沈/가라앉일(침)
                              심 씨   심

應敎 光世의 딸이며 李楫의 婦人이다   楫/노
응교 광세   이 즙 부인   즙

No.247

★思親/어버이를 생각하며
  사친

玉砌霜風起 하니　　　　　　　砌/섬돌
옥 체 상 풍 기　　　　　　　　　체

紗窓月影寒 이라.　　　　　　　紗/깁
사 창 월영 한　　　　　　　　　사

忽聞歸雁響 하고　　　　　　　　響/울릴
홀 문 귀 안 향　　　　　　　　　향

千里憶南關 이라.　　　　　　　　憶/생각할
천 리 억 남관　　　　　　　　　억

☞섬돌에 가을 바람이 이니
　창에 달 그림자도 싸늘하네.
　문득 기러기 돌아가는 소리를 듣고
　천리 먼 곳의 어버이를 생각하네.

※이 시는 섬돌에 가을 바람이 일어나고, 창에 달 그림자가 차가운데 문득 기러기 소리를 듣고 고향의 어버이 생각이 懇切 하다는 것을 쓴 것이다.
간절

懇/정성 ☺玉砌/섬돌 南關/남쪽의 관문,남쪽의 지방 楚雲　楚/
간　　　　옥체　　　남관　　　　　　　　　　초운　　초

모형/나라이름　年代와　由來　未詳
　　　　　　　연대　　유래　미상

No.248

★懷人/임을 그리며
　　회인

相會屬花發 이요　　　　　　　屬/괭이/베다
상회 속 화 발　　　　　　　　속

相離白雲深 이라.
상리 백운 심

黃花與白雪 이
황화 여백설

應識兩人心 이라.
응 식 양인 심

☞ 서로 만날 때는 국화가 피더니
　서로 헤어질 때는 백설이 쌓이네.
　국화와 백설이야
　임과 내 마음을 알 것이네.

※이 시는 만날 때에 菊花꽃이 피고 헤어질 때 백설이 쌓였으
　　　　　　　　　　국화

니 국화와 白雪이 두 사람의 마음을 알 것이라고 하였다.
　　　　　　백설

☺斸花發/국화가 피다,촉화는 뿌리를 쪼개 심는 데서 유래한
　촉 화 발

말.　凌雲　　凌/능가할　　年代와　由來　未詳
　　　능 운　　능　　　　　　연대　　유래　미상

★特郎/임을 기다리며
특 랑

郎去月出來 하니
랑 거월 출래

月出郎不來 라.
월출 랑불래

想應君在處 에
상 응 군 재 처

山高月上遲 라.
산 고 월 상 지

☞임이 떠나자 달이 뜨더니
 달이 떠도 임은 오지 않네.
 아마 임이 계신 곳에
 산이 높아 달이 늦게 뜨겠지.

※이 시는 달이 뜨면 만나자고 한 임이 오지 않는 것이 임이
계신 곳의 산이 높아서 달이 더디게 뜨기 때문에 아직 오지
않는 것인가 하고 이해하려는 너그러운 심정을 엿볼 수 있다
☺想應/생각컨대 응당,아마 생각에
  상응

李恪   夫人   恪/삼갈   世宗 때 北方 오랑캐를 征伐한 李恪
이각   부인   각   세종   북방   정벌   이각

부인이다   征/칠 = 伐
          정   벌

★送夫出塞/깃대를 꽂고
  송 부 출새

何處沙場駐翠旗 요 戌歌羌笛夢中悲 라.
하처 사장 주 취기　술 가 강 적 몽중 비

白頭楊柳何須怨 가 只待歸鞍繫月枝 라.
두 양 유 하 수 원　지 대 귀 안 계 월 지

駐/머무를　戌/개　羌/종족이름　백/밭두덕　鞍/안장　繫/맬
주　　　　술　　　강　　　　　안　　　계

☞어느 곳에 깃대를 꽂고 진을 치고 있는가
　북치는 소리 피리 소리 꿈길에 들리네.
　언덕의 버들은 이제 원망은 않겠네.
　임이 돌아오면 말을 매어 놓아야지.

※이 시는 수자리에 나간 남편에 대한 그리운 정을 그린 것인
데, 임이 돌아오면 가지 못하게 말을 매어 놓는다는 것이다.

☺送夫出塞/남편이 수자리에 가는 것을 보냄. 駐翠旗/싸울 때
　송 부 출 새　　　　　　　　　　　　　　　주 취 기
꽃은 대장기 戌歌羌笛/수자리(변방을 지키는 곳)의 노래와 오
　　　　　　술 가 강 적
랑캐들이 부는 피리 소리 繫月枝/달 아래 나뭇가지에 매어 놓
　　　　　　　　　　　　계 월 지
음 작가 金農巖 妻　　年代와 由來 未詳
　　　　김 농암 처　　연대　유래 미상

No.250

★偶吟/꽃 피고 잎이 지는데　　　偶/짝　吟/읊을
　우음　　　　　　　　　　　　우　　　음

春生秋殺自平分 하니
춘 생 추 살 자 평 분

八月梨花古未聞 이라.
팔월 이화 고미문

萬樹四風方慘慓 하니　　　　　　慘/참혹할　　慓/날랠
만수 서풍 방 참표　　　　　　　　　참　　　　　　표

一枝留得少東君 이라.
일 지 유 득 소 동 군

☞꽃이 피고 잎이 지는 것은 아는 일이지만
　팔월에 배꽃이 피는 것은 듣지 못하였네
　모든 나무가 서풍에 나부끼는데
　한 가지에는 햇빛이 비치고 있네.

※이 시는 계절에 피고 지는 꽃이 분명한데 팔월 달에 배꽃이
피는 것은 이상기온이라는　것을 쓴 것이다.

☺自平分/스스로 공평하고 분명함　慘慓/요란스럽게 부는 바람
　자 평 분　　　　　　　　　　　　　　참 표

을 뜻한 것임　少東君/이른 봄
　　　　　　　　소 동 군

嚴灌夫 妻　　　　嚴/엄할　　灌/물댈　　年代와　由來 未詳
엄 관 부　처　　　엄　　　　　관　　　　연대　　유래　미상

No.251

★嚴灌夫/임을 離別하며　　　　灌/물댈
　엄 관 부　　　　이별　　　　　관

當時心事已相關 하니
당시 심사 이 상관

雨散雲收一餉間 이라.　　　　　餉/건량/군량
우 산 운 수 일향 간　　　　　　　향

便是孤帆從此去 하면
편 시 고범 종차 거

不敢重過望天山 이라.　　　　　　　　敢/감히
불감　중과　망천산　　　　　　　　　　　감

☞당시의 심사를 서로 알지만
　싸우고 즐거웠던 것도 순간이었네.
　외로운 배로 이제 떠나가면
　다시는 저 산을 지날 수 없을 것이네.

※이 시는 嚴灌夫가 장가간 지 십년이 되어도　자녀를 낳지
　　　　　　엄 관 부

못하여 그 아내를 내보낼 때 아내가 이 시를 지어서 離別한
　　　　　　　　　　　　　　　　　　　　　　　　이별

것이다.
☺已相關/이미 서로 관련이 있음. 서로 책임이 있음. 一餉間/
　　이 상 관　　　　　　　　　　　　　　　　　　일향 간

일순간의 뜻　望天山/산이름　　　王氏女
　　　　　　　망 천 산　　　　　　왕씨 여

70154

★詠懷/한밤의 시름　　　　　　詠/읊을
　영회　　　　　　　　　　　　　영

白藕作花風己秋 하니　　　　　　藕/연뿌리
백 우 작 화 풍 기 추　　　　　　　우

不堪殘睡更回頭 라.
불감 잔 수 갱 회두

晩雲帶雨歸飛急 하니　　　　　　晩/저물
만 운 대 우 귀 비 급　　　　　　　만

去昨西窓一夜愁 라.
거 작 서창 일야 수

☞연꽃이 피니 가을 바람이 불어오네
　졸음을 견디지 못하고 머리를 돌리네
　저문 구름이 비를 몰고 가는데
　그것은 엊그제 잠을 이루지 못한 근심이네

※이 시는 연꽃이 피는 여름철 졸음을 깨지 않은 채 머리를
돌려서 보니 소나기가 급히 내리는데 그것은 엊그제 잠을 이
루지 못한 근심이 비가 되어서 온다고 하였다

☺白藕/흰 연꽃　殘睡/졸음이 아직 덜 깬　去昨/엊그제
　백 우　　　　　잔 수　　　　　　　　　거 작

작가 交河落花津女
　　　　교하　낙화 진 여

No.252

★舟中/뱃길
　주중

昨宿開花山下家 하고
작 숙 개화산 하 가

今朝又涉落花波 라.　　　　　涉/건널
금조 우 섭 낙화 파　　　　　　섭

春光却似人來去 하니　　　　　却/물리칠
춘광 각 사 인 래 거　　　　　　각

纔見開花又落花 라.　　　　　纔/겨우
재 견 개 화 우 낙화　　　　　　재

☞ 간밤에는 꽃 핀 산 아래 집에서 잤는데
　오늘 아침에 또 꽃잎 떠가는 강을 건넜네
　봄은 꼭 사람의 내왕과 같은 것
　겨우 피는 꽃 보았는데 또 지는 꽃을 보네

※이 시는 어제는 꽃이 피는 마을에서 자고 오늘은 꽃이 떠가는 호수를 건너가는데, 봄이 왔다가는 것이 마치 사람이 이 세상에 태어났다가 죽는 같다고 하였다.

☺落花波/꽃이 떨어져 파도에 내려감을 말한 것임
　낙화 파

人來去/사람이 이 세상에 태어났다가 죽는 것을 말한 것임.
인 내 거

金盛達 女　　盛/담을
김 성 달 여　　성

No.253

★樓臺/뜰도 고요한데
　누대

樓臺寂莫鎖空庭 하니　　　　　鎖/쇠사슬
누대 적 막 쇄 공정　　　　　　쇄

嗚咽前溪淺水聲 이라
명 열 전 계 천수 성

勝事繁華無處問 하니
승사 번화 무처 문

竹林啼鳥最多情 이라.
죽림 제 조 최다 정

☞누대도 쓸쓸하고 뜰도 고요한대
　졸졸 흐르는 시냇물 소리 맑게 들리네
　즐거웠던 지난날을 어디서 물을 것인가
　대숲에서 새 소리만이 다정하게 들리네

※이 시는 樓臺(다락)의 情景을 읊은 것이다, 고요한 누대의
　　　　　누대　　　정경

앞에는 시냇물이 졸졸 흐르고 대숲에서는 새 소리가 多情하게
　　　　　　　　　　　　　　　　　　　　　　　　　다정

울고 있다고 하였다

☺鳴咽/슬프게 우는 것, 물이 내리어 흐르는 것을 말함
　명 열

無處問/물을 곳이 없음.　　濟危寶의 女　濟/건널
무 처 문　　　　　　　　　제위보　　여　제

No.254

★白馬郎/임의 손을 잡고
　백마 랑

浣紗溪上傍垂楊 하여　　　浣/빨　傍/곁
완사 계상 방수양　　　　　완　　　방

執手論心白馬郎 이라.
집수 논심 백마 랑

從有運簷三月雨 나　　　從/쫓을　簷/처마
종 유 운첨 삼월 우　　　　종　　　첨

指頭何忍洗餘香 가.　　　洗/씻을
지두 하 인 세 여향　　　　세

☞시냇가의 수양버들 아래서
　임의 손을 잡고 사랑을 털어놓네
　비록 석달을 비가 내리더라도
　손에 어린 향기는 씻지 않겠네

※이 시는 수양버들 늘어진 시냇물가에서 손을 잡고 임과　이별하고는 손에 어린 임의 향기가 혹시나 장마 빗물에 씻기울까 안타까워하는 심정을 그린 것이다

☺傍垂楊/수양버들을 곁하여, 수양버들 아래서 指頭/손가락 끝.
　방 수 양　　　　　　　　　　　　　　　지두

德介 氏　　介/끼일
덕 개 씨　　개

KIM DAEJEUNG

★琵琶聲/琵琶를 타며   琵/비파= 琶
　비파성　비파   비　　파

琵琶聲裏寄離情 하니
비 파 성 이 기이정

怨入東風曲不成 이라.
　입　동풍　곡　불성

一夜高堂香夢冷 하니
　일야　고당　향몽　냉

越羅裙上淚痕明 이라.   越/넘을   裙/치마
　월라　군상　누흔　명   월　　　　군

☞비파를 타며 이별의 아픔을 달래 보는데
　한이 봄 바람에 맺히어 곡이 이루어지지 않네.
　홀로 자는 방 꿈도 이룰 수가 없어
　비단치마 위에 눈물 자국이 아롱졌네.

※이 시는 이별을 슬퍼한 것으로 琵琶를 타며 외로운 마음을
　　　　　　　　　　　　　　　비파
달래보나 曲調가 잘 타지지 않고,밤에 자고자 하니 눈물만 옷
　　　　곡조
에 아롱진다고 하였다.

☺越羅裙/비단으로 만든 치마
　월라 군

蒼巖金氏   蒼/푸를
창암 김씨   창

光州 사람(光州人) 兵使 金石珍의 딸로 號는 蒼巖이며 얼굴이
광주   광주 인   병사 김 석 진   호   창 암

추하여 스스로 蒼巖이라 했다
　　　　　　　　창 암

No.256

★自警/덕이란　　　　　　　　警/경계할
　자경　　　　　　　　　　　　경

據德懷仁可謂人 이니　　　　據/의거할　　謂/이를
거 덕 회인 가위 인　　　　　거　　　　　위

華簪寶具莫安身 이라.　　　簪/비녀
화 잠 보 구 막 안신　　　　잠

脂膏榮祿五還畏 라　　榮/꽃　　祿/복　　畏/두려워할
지고 영록 오 환 외　　영　　　록　　　외

上有王章下有民 이라.　　章/글
상 유 왕장 하 유 민　　　장

☞덕이 있고 어진 마음을 지녀야 사람이지
　금비녀 보석 패물이 마음을 편안하게 할 수는 없네
　부를 누리는 것이 내 마음에 두려운 것은
　웃사람을 섬기고 아랫사람을 다스려야 하기 때문이네

※이시는 스스로를 경계하여 지은 것으로 호사스런 생활이 몸을 편안하게 하는 것이 아니라 오히려 두려운 것이다. 그러므로 덕과 인에서 사는 것이사람다운 사람이라고 쓴 것이다.

☺據德懷仁/덕에 의거하고 임을 품어서 행함 華簪寶貝/호화로
　거 덕 회인　　　　　　　　　　　　　　　　　화 잠 보패
운 비녀와 보배인 패물,아름다운 비녀와 좋은 장식품 脂膏/지고
　　　　　　　　　　　　　　　　　　　　　　　　　　　지고
榮祿/잘먹고 지내는 부와 귀를 말함　작가 廉氏　廉/청렴할
영록　　　　　　　　　　　　　　　　　　　염씨　염

★寄征人/수자리의 임에게
기 정 인

寄/부칠
기

征/칠
정

凄凄北風吹鴛被 하고
처처 북풍 취원피

凄/쓸쓸할
처

鴛/원앙
원

被/이불
피

娟娟西月生蛾眉 라.
연연 서월 생 아미

娟/예쁠
연

蛾/나방
아

誰知獨夜相思處 에
수지 독야 상사 처

誰/누구
수

淚滴寒塘蕙草時 오.
누 적 한당 혜초 시

滴/물방울
적

塘/못
당

蕙/혜초
혜

☞차가움 북풍이 이불깃에 불어오고
아리따운 달이 눈썹처럼 곱네.
누가 홀로 자는 밤 임 그린 눈물이
빗방울처럼 되어 옷에 떨어지는 것을 알 것인가.

※이 시는 차가운 겨울 밤 혼자 쓸쓸히 자면서 그리워 눈물을
흘리는 서글픈 심정을 쓴 것이다.

☺鴛被/원앙새를 수 놓은 이불을 말함   娟娟/예쁜 것
원 피   연연

寒塘蕙草/차가운 못의 난초들.   지은이 薛氏   薛/맑은대쑥
한 당 혜초   설씨   설

★官書堂/바다에서
관 서 당

穿盡秋深向海東 하니　粧娥詩友最相同 이라.
천 진 추 심 향 해 동　　　장 아 시 우 최 상 동

應嫌水國寒生暗 하여　蟾步長留碧海中 이라.
응 염 수 국 한 생 암　　　섬 보 장 유 벽 해 중

穿/뚫을　　粧/단자할　　娥/예쁠　　嫌/맑고고울　　蟾/뚜꺼비
천　　　　　장　　　　　아　　　　염　　　　　　　섬

☞가을을 구경하며 海東을 향하는데
　　　　　　　　　　　해동

　곱게 화장한 詩友들이 모여 있네
　　　　　　　　시우

　섬나라에 가면 추울까　두려워서

　한가히 걸으며 푸른 바다에　머물러 있고 싶네.

　※이 시는 가을에 구경하면서 해동에 갔더니 예쁜 시우들

　이 모여 있는데, 사람이 사는 水國은 춥다고 하여 바다 속
　　　　　　　　　　　　　　　수국

　에서 머물고 싶다고 하였다.

　☺穿盡秋深/가을이 깊어 가는 것을 돌아다니며 구경함.
　　천 진 추 심

　海東/바다의 동쪽 粧娥/곱게 치장을 한 미인들 순임금의 아
　해동　　　　　장 아

　내가 항아 임 蟾步/여자의 예쁘게 걷는 걸
　　　　　　　섬 보

　작가 百花亭 主人
　　　　백화 정 주인

No.259

★百花亭上/百花亭 위에서
　백화 정 상 백화 정

三從無一可安身 하니
삼종 무 일 가안 신

不怨蒼天怨死人 이라.　　　　　怨/원망할　　蒼/푸를
불 원 창천 원 사 인　　　　　　　원　　　　　　창

怊悵百花亭上立 하니   悊/슬플 = 悵
초창 백화 정 상 립   초   창

鶯啼柳綠欲殘春 이라.
앵 제 유 록 욕 잔춘

☞세가지 가운데 하나도 내 몸을 의지할 수 없으니
  하늘을 원망할 수도 없고 누구를 탓하지도 않네.
  슬프다 백화정 위에 서 있으니
  꾀꼬리는 울고 버들은 푸른데 봄이 사라져 가네.

※이 시는 三從之道 가운데 하나도 依支할 곳이 없으니 하늘
        삼종지도   의지
을 원망할 수는 없고 죽은 남편을 원망할 수밖에 없다는 것이
며. 그렇기에 슬프게 百花亭위에 서서 가는 봄을 보내는 안타
                    백화 정
까운 심정을 그린 것이다.
☺百花亭/정자 이름   작가 洪蕙史   蕙/혜초
  백화 정   홍 혜 사   혜

No.260

★閨思/안방에서
  규 사

落花流水小僑西 에   僑/높을
낙화유수 소 교 서   교

好客入門月欲低 라.
호 객 입문 월 욕 저

却恨紅燈人已老 하니   恨/한할
각 한 홍등 인 이 노   한

無情芳草浣紗溪 라.   浣/빨   紗/깁
무정 방초 완사 계   완   사

☞지는 꽃 흐르는 물 다리 너머에
임이 돌아오니 달이 떨어진다.
사람이 늙는 것을 한하지 말라
무정한 풀도 시냇가에 시들고 있다

※이 시는 달밤에 多情한 손이 찾아왔는데 어느덧 人生이 늙
　　　　　　　　　　　　다정　　　　　　　　　　　　　　인생
어서 슬픈 마음이 든다는 것을 읊은 것이다.
☺浣紗溪/당나라 두보의 초당에 있는 시내가 완화계인데 여기
　완사　계
서 온 발로 곧 시내라는 뜻임.　　鄭文榮 妻　　年代와　　由來
　　　　　　　　　　　　　　　　정문영 처　　연대　　　유래
未詳
미상

KIM DAEJEUNG

★代郎人贈人/임을 대신하여　　　　贈/보낼
　대랑인증인　　　　　　　　　　　　증

風露瑤臺十二層 에　　　　　　　　瑤/아름다운 옥
　풍로 요대 십이 층　　　　　　　　요

步虛聲斷綵雲稜 이라.　　　　　　綵/비단　　稜/모
　보허 성단 채운 릉　　　　　　　　채　　　　　릉

松間欲奇相思字 하니　　　　　　　奇/기이할　相陵/큰언덕
　송간 욕 기 상사 자　　　　　　　　기　　　　　릉

多病長卿臥茂陵 이라.　　　　　　卿/벼슬　　茂/우거질
　다병 장경 와 무릉　　　　　　　　경　　　　　무

☞이슬이 내린 높은 다락에
　사람의 발길이 끊어졌네.
　임에게 그리운 뜻을 전하고 싶어도
　병으로 누워 있기 때문이네.

※이 시는 이 높고 아름다운 집에 사람의 발길이 끊어졌는데
그리운 정을 담은 편지를 부치고 싶어도 병으로 누워 있기 때
문에 참고 있다는 것이다, 이것은 남편을 대신하여 사람에게
준 편지라고 제목에 씌어 있다.

☺瑤臺/아름다운 섬 綵雲稜/오색 구름의 조각들 長卿/벼슬
　요대　　　　　　　채운릉　　　　　　　　　　　장경

李齊賢 妻 齊/가지런할 賢/어질 高麗 때 文臣,學者. 詩人이었
　이제현 처 제　　　　　　현　　　고려　　　문신 학자　시인

던 李齊賢의 妻
　　이제현　　처

No.262

★鵲兒/까치는 울고 　　　　　　　　　鵲/까치
　작 아 　　　　　　　　　　　　　　　작

鵲兒籬際噪花枝 하고 　　籬/울타리 　　噪/떠들석할
작 아 이 제 조 화지 　　　　　이 　　　　조

蟢子床頭引網絲 라. 　　蟢/갈거미
회자 상 두 인 망사 　　　　회

余美歸來應未遠 하리니 　　余/나
여 미 귀래 응 미 원 　　　　여

精神早己報人知 라. 　　早/새벽
정신 조 기 보 인 지 　　　　조

☞까치는 울타리의 꽃 가지에서 울고
　거미는 책상위에 그물을 치네'
　내 임이 곧 돌아오겠지.
　생각에 미리 알려주는 것이라 여겨지네.

※이 시는 까치가 울타리에서 지저귀고, 거미가 상머리에 줄을
내려뜨리는 것을 보면 내 임이 오는 것이 멀지 않다는 것을
미리 알려준 것이라 하였다.

☺鵲兒/까치 　蟢子/거미 　余美/나의 미인, 나의 애인(임) 　開城
　작 아 　　　회자 　　　여 미 　　　　　　　　　　　　　개성

寡婦 　寡/적을 　婦/며느리/부인
과부 　과 　　　부

No.263

★贈金台鉉/金台鉉에게 　　　　　　台/별 　　鉉/솥귀
　증 김태현 　김태현 　　　　　　　태 　　　현

馬上誰家白馬郞 -고
마상 수가 백마 랑

通來三月不知名 이라.
통래 삼월 부지 명

如今始知金台鉉 하고
여금 시지 김태현

細看長眉暗入情 이라.
세 간 장미 암 입 정

☞말에 탄 저 사람은 누구의 신랑인가
　삼개 월 동안 있으면서 이름을 몰랐네.
　지금 비로소 김태현이라는 것을 알았네
　자세히 보니 긴 눈썹이 정이 드네.

※이 시는 金台鉉이라는 사람을 3개월 동안이나 接觸하면서도
　　　　김태현　　　　　　　　　　　　　　　접촉

이름을 알지 못하였는데, 비로소 알고 자세히 보니 긴 눈썹 이

情이 든다는 것을 쓴 것이다.
정

☺白馬郞/백마를 타고 온 낭군 暗入情/은근히 정이 들어 있음.
　백마 랑　　　　　　　　　　　　암 입 정

曺氏　曺/성　昌寧　曺氏로　年代　未詳
조씨　조　　창녕　조씨　　연대　미상

No.264

★夜行/밤길
　야행

幽澗冷冷月未生 하니　　　　　澗/계곡의시내
유 간 냉 냉 월 미 생　　　　　　간

暗藤垂地小人行 이라.　　　　藤/등나무
암 등 수 지 소 인 행　　　　　　등

村家知在山凹處 에
촌가 지재산요처

凹/오목할
요

淡霧疎星一杆鳴 이라.
담 무 소 성 일 간 명

杆/나무이름
간

☞골짝에 찬바람 돌고 달도 없는데
  등나무 덩굴이 얽혀서 사람이 다닐 수 없네
  산마을이 깊숙한 곳에 있는지
  안개 자욱한 하늘에 방아 찧는 소리가 울리네

※이 시는 어두운 밤길을 묘사한 것이다, 달도 뜨지 않은 덩굴이 얽힌 산길을 가는데,멀리 움푹 들어간 산 속에서 방아찧는 들린다고 하였다.

☺幽澗/물이 졸졸 흐르는 시내, 깊은 골짜기의 시내 暗藤/칙칙
유 간 암 등

한 등나무, 어두운데 있는 등나무 山凹處/산에 움푹 들어간 곳
산 요 처

작가 朴氏
박씨

No.265

★偶吟/달빛을 바라보고
우음

偶/짝
우

月光空照兩人邊 하니
월광 공조 양인 변

安得團團共一天 -가.
안 득 단 단 공 일 천

團/둥글
단

可惜風流人未會 하니
가석 풍류 인 미회

惜/아낄
석

錯敎烏兎送靑年 이라.
착 교 오 토 송 청년

錯/섞일   兎/토키
착   토

☞달빛이 쓸쓸하게 두 사람을 비치고 있는데
어떻게 한자리에서 같이 바라볼 수 없을까
風流客들이 서로 만나지 못하니
풍류 객

해와달도 이 청춘의 심정을 몰라주는 건가

※이 시는 달이 떨어져 있는 두 사람을 비추고 있는데 어떻게
한집에서 같이 살수 없는가? 풍류를 즐기는 사람들이 만나지
못하는 것이 한이 되는데, 해와 달이 잘못하여
그렇게 된 것이라고 표현 하였다

☺團團/자리가 같이 있는 것 錯敎烏兎/해와 달이 잘못 시켜서,
단 단   착 교 오 토
오는 해,토는 달을 가리킴

成氏 仁齋 嬉의 딸,進士 崔塘의 부인 齋/재개할 嬉/즐길
성씨 인재 회   진사 최 당   재   회

No.266

★贈人/散策
증 인 산책

步出隣家三四呼 하니
보 출 인 가 삼 사 호

小童來報主人無 라.
소 동 래 보 주 인 무

若非杖策花去 댄   杖/지팡이
약 비 장 책 화 거   장

定是携琴酒徒 라.   携/끌   徒/무리
정 시 휴 금 주 도   휴   도

☞이웃집에 가서 서너 번 부르니
　아이가 나와서 주인이 없다 하네
　지팡이를 휘두르고 꽃을 찾아가지 않았으면
　필시 거문고를 가지고 술집을 찾아갔겠지

※이 시는 이웃집에 가서 주인을 찾는데, 아이가 나와서 주인이 없다고 한다, 그러면 주인이 꽃 구경을 가지 않았다면 거문고를 들고 술집을 간 것이　分明하다고 하였다.
　　　　　　　　　　　　　　　　　　　　　　　　분명

☺三四呼/세 번 네 번 불러서 주인을 찾음　　定是/정히 이것
　삼사 호　　　　　　　　　　　　　　　　　　　정 시
은　高陽村女
　　고양 촌 녀

No.266

★于歸/딸에게   于/어조사/가다
우귀   우

論心細雨香燈下 하고 聯袂閑花百草前 이라.
논심 세우 향등 하   연몌한화백초 전

于歸莫隨傷心淚 하라 女心從夫認是天 이라.
우귀 막 수 상심 누   여심 종부 인 시 천

                 袂/소매
                 몌

☞보슬비 내리는 향촉대 아래서 맹세를 하고
  온갖 꽃 향기로운 풀밭에서 부부가 되었네.
  시집을 가는데 눈물을 짓지 말아라
  여자는 남편을 따라가는 것이 법이란다.

※이 시는 香燭臺 아래서 또는 향기로운 화초 앞에서 일평생
      향촉 대

을 같이 살자고 굳게 盟誓하였고, 따라서 남편을 따라가서 사
             맹세

는 것이 도리이니 눈물을 흘리지 말고 시집에 가서 살아야 한

다는 것을 쓴 것이다.

☺聯袂/소매를 서로 잡고   于歸/여자가 시집가는 것을 말함
  연 몌   우귀

認是天/이것이 하늘(법칙)이라고 함   작가 京江村女
인 시 천   경강 촌 녀

No.267

★卽死/봄   卽/곧
즉사   즉

昨夜春隨小雨過 하니
작야 춘 수 소우 과

遠郊芳草近山花 라.
원교 방초 근산화

乾坤獨立閒人在 하니   乾/하늘   坤/땅   閒/틈
건곤 독립 한인재   건   곤   한

數曲溪南一字家 라.
수 곡 계 남 일 자 가

☞간밤에 봄이 가랑비를 따라 지나가더니
들에 풀은 파랗게 돋아나고 산에는 꽃이 피었네.
건곤은 언제나 변함이 없고 나는 자연을 즐기는데
여러 구비를 지나가니 시내 남쪽에 집이 있네.

※이 시는 어젯밤 봄비에 들에는 풀이 파릇하고. 산에는 꽃이
피었는데 한가히 서서 시내 남쪽에 있는 마을을 바라보고 있
는 정경을 그린 것이다.

☺卽死/곧 생각이 나서 쓴 것 乾坤/하늘과 땅 一字家/한 군데
   즉사   건곤   일자 가

있는 집 羅萬辰女 辰/地支
        나 만 진 여   진 지지

No.268

★閨怨/恨   怨/원망할   恨/한할
  규원 한   원   한

淸溪一曲抱村流 하니   抱/안을
청계 일곡 포촌 유   포

藥圃桑田春雨餘 라.   圃/밭   桑/뽕나무
약포 상전 춘우 여   포   상

鶴骨癯然何許老 요   癯/여윌
학 골 구 연 하 허 노   구

半窓竹枕獨看書 라.
반창 죽침 독 간서

☞맑은 시냇가 마을을 돌고 흐르는데
　약포와 뽕나무 밭이 봄비를 맞아 자라고 있네
　학 같은 몰골이 야위어 저렇게 늙었는데
　창을 열고 베게를 베고 책을 보고 있네

※이 시는 맑은 시냇물이 흐르는 곳에서 약을 심고 누에를 치면서 사는 鶴 같은 모습을 지닌 늙은이가　창을 열어 놓고
　　　　　　　　학
木枕을 베고 책을 보는 모습을 그린 것이다.
목침
☺藥圃/약을 심은 밭　癯然/학의 모습이 혹이 달린 것처럼 생
　약포　　　　　　　　　구 연
긴 대서 한 임.　작가 神女
　　　　　　　　　　신녀

No.269

★落花渡/강을 건너며　　　　　　　渡/건널
　낙화 도　　　　　　　　　　　　도

昨宿花開上下家 하고
작 숙 화개 상하 가
今朝來渡落花波 라.
금조 래 도 낙화 파
人生正似春來去 하니
인생 정 사 춘래 거
纔見開花又洛花 라.　　　纔/겨우　　洛/강이름
재 견 개화 우 낙화　　　　재　　　　　낙

☞어제는 꽃이 핀 산 아래 집에서 자고
　오늘 아침은 꽃이 떠가는 강을 건넜네
　인생은 봄이 오가는 것과 같은 것
　겨우 핀 꽃을 보고 또 지는 꽃을 보네

※이 시는 시상이 앞의 뱃길의 시와 비슷하다, 곧 꽃잎이 떠
가는 湖水를 건너면서 인생의 無常을 읊은 것이다.
　　　호수　　　　　　　　　　무상

薛瑤　　　薛/맑은대쑥　瑤/아름다운옥
설 요　　　설　　　　　　요

Blueruin

★自歎　　　　　　　　　　歎/읊을
　자탄　　　　　　　　　　　탄

化雲心兮思淑貞 이요　　　兮/어조사　淑/맑을
화 운 심 혜 사 숙 정　　　　혜　　　　　숙

洞寂滅兮不見人 이라.　　藍/성한모양
동 적 멸 혜 불 견 인　　　　온

瑤草芳兮思芬藍 이로소니　瑤/아름다운옥　芬/향기로운
요초 방 혜 사 분 온　　　　요　　　　　　분

將奈何兮是靑春 -고.　　　奈/어찌
장 나 하 혜 시 청춘　　　　나

☞구름 같은 고운 마음이 정숙하지만
　마음에 집이 없으니 사람을 볼 수가 없네.
　꽃다운 풀처럼 꽃다운 마음을 지니고 있지만
　장차 어찌할 것인가 이 청춘을.

※이 시는 가사 형식으로 지은 시로 정숙한 마음을 지녀
향기롭게 살려고 하는데, 찾아오는 사람은 없고　청춘은 늙어
간다는 노래이다.
☺何雲心兮/구름의 마음으로 화하고 싶음 洞寂滅/골이 고요함
　하 운 심 혜　　　　　　　　　　　　　동 적 멸

思芬藍/향기로운 것을 생각함.　太一　槐山의 妓生
사 분 온　　　　　　　　　　　태일　괴산　　기생

★吳山楚水/이 몸은 기러기　　楚/모형(가시나무)
　오산 초 수　　　　　　　　초　　형

三月離家九月歸 하니
삼월 이 가 구월 귀

吳山楚水夢依依 라.
오산 초 수 몽 의의

妾身猶似隨陽鳥 하여   猶/오히려
첩 신 유 사 수 양 조   유

行盡江南又北飛 라.
행 진 강남 우 북 비

☞삼월에 집을 떠나 구월에 돌아가니
　지나온 모든 일이 꿈결 같구나
　이 몸은 꼭 기러기와 같은 신세
　강남을 가고 나면 북으로 날아가네.

※이 시는 삼월에 집을 떠나 구월에 돌아오니, 돌아다닌
산수가 꿈처럼 어렴풋하다는 것인데, 마치 기러기가 계절을
따라 강남에 갔다가 북쪽으로 또 날아가는 것과 같다는 것

☺吳山楚水/오나라의 산과 초나라의 물(吳,楚는 중국의 옛나라
　　오산　초 수　　　　　　　　　　　　　오　초

이름)여기서는 산과 물의 뜻임. 依依/어렴풋함
　　　　　　　　　　　　　　　　의의

隨陽鳥/기러기(계절을 따라서 날아가는 새)　蓮喜　　蓮/연밥
수 양 조　　　　　　　　　　　　　　　　　연 희　　　연

No.272

★河橋/牽牛 織女
　하 교　견우　직녀

河橋牛女重逢夕 하니
하 교 우녀 중 봉 석

玉洞郎娘恨別時 라.　　　娘/아가씨
옥동 랑랑 한별 시　　　　　랑

若使人間無此月 이면　　使/하여금
약 사 인간 무차 월　　　　사

百年相對不相移 라
백년 상대 불 상 이

☞은하수에서 견우와 직녀가 만나고서
　옥동에서 남녀가 이별을 한하고 있네.
　만일 인간에 이별이 없다면
　한평생을 서로 의지하고 살 것이지만.

※이 시는 임과 만났다가 바로 이별하는데, 만일 인간이
이별이 없다면 무슨 성이 날 것이냐고 하였다,
☺河橋/은하수 다리　牛女/견우성과 직녀성이 거듭 만나는
　하 교　　　　　　　　우녀

저녁　郎娘/남자와 여자, 견우와 직녀　不相移/서로 마음이
　　　낭 랑　　　　　　　　　　　　　불 상 이

상하지 않음　蘭香
　　　　　　　난향

No.273

★征衫/임의 옷을 짓는데　　　征/치다/가다　　衫/적삼
정 삼　　　　　　　　　　정　　　　　　　삼

持子征衫下淚裁 하니　金刀隨手短長回 라.
지 자 정 삼 하 루 재　　금도 수 수 단장 회

此身寧與殘燈滅 이언정　不見明朝上馬催 라.
차신 영 여 잔등 멸　　　불 견 명조 상 마 최

裁/마를　　與/줄　　催/재촉할
재　　　　　여　　　　최

☞임의 옷을 눈물로 짓는데

바늘이 손을 따라 움직이네
이 몸이 저 등불과 같이 잦아질지언정
내일 아침 말을 타고 떠나는 임은 보지 못하겠네

※이 시는 수자리(군문)에 나아가는 남편의 옷을 짓느라고
바느질을 하는데, 이 몸이 저 등불과 함께 자지러질 언정,
내일 아침 말을 타고 가는 임은 도저히 불 수 없을 것이 라고
하였다.

☺征衫/수자리에 나아가는 남편을 위하여 짓는 남편의 옷
　　정　삼

持子/임의 옷을 눈물을 흘리면서 지음　金刀/바늘을 가지고
지　자　　　　　　　　　　　　　　　　　金刀/금도

손을 뻗쳤다가 오그리며 옷을 지음
上馬催/말에 올라서 가는 가는 것을 재촉함.
상마 최

氷壺堂　　壺/병　　宗室　肅川의　令夫人으로　詩文에 능하였다
빙호　당　　　호　　　종실　숙천　　　영부인　　　시문

Jakobson

★詠氷壺/병을 보고　　　　　詠/읊을
　영빙호

最合床頭盛美酒　어늘　　　　床/상
최합상두성미주　　　　　　　　상

如何移置小溪邊　-가.
여하 이치 소계 변

花間白日能飛雨　하니
화간 백일 능비우

始信壺中別有天　이라.　　　始/처음
시 신 호중 별유천　　　　　　시

☞상머리에 술을 가득 담아 두면 알맞은 것을
　어찌 그 병을 시냇가에 옮겨 놓았는가.
　꽃 사이 비치던 햇볕에 빗방울이 지나가니
　비로소 병 속의 아름다운 풍경을 알겠네.

※이 시는 얼름같이 투명한 병을 읊은 것이다, 이 병이 술을
담아 놓으면 알맞거늘 어찌 시냇가에 옮겨 놓았는가? 꽃
사이에 놓은 이 병에 비가 뿌리면 병 속의 풍경이 참으로
아름다운데 그것을 보기 위하여 옮겨 놓은 것인 줄을 비로소
알았다는 것이다.

☺盛美酒/아름다운 술을 담아 놓음　能飛雨/능히 비를 오게함
　성미주　　　　　　　　　　　　　능비우

別有天/특별히 아름다운 경치가 있음.　　小玉花 巨濟島
별유천　　　　　　　　　　　　　　　　소옥화　거제도

南村의 女子이다
남촌　　 여자

No.275

★送郎/임을 보내고
　송　랑

歲暮風寒又夕暉 하니　　　　　暉/빛
세모　풍한　우 석 휘　　　　　　휘

送君千里淚沾衣 라.　　　　　　沾/더할
송 군 천리 누 첨의　　　　　　　첨

春堤芳草年年綠 이로소니　　　堤/둑/제방
춘 제방 초 년년 록　　　　　　　제

莫學王孫歸未歸 하라.
막 학 왕손 귀 미 귀

☞올해도 저무네, 저녁 바람이 차가운데
　임을 멀리 보내니 눈물이 옷을 적시네.
　봄이 오면 풀은 해마다 푸르른 것
　한 번 가고 돌아오지 않으면 나는 어떻게 하라고.

※이 시는 일년이 저물어가는 저녁놀에 임을 보내니 눈물이
옷을 적시는데 봄이 매년 돌아오는 것처럼 임도 빨리
돌아오라는 하소연을 읊은 것이다.

☺夕暉/저녁놀　莫學/배우지 말라　歸未歸/한 번 가서
　석휘　　　　　막 학　　　　　　귀 미 귀

돌아오지 않음. 작가 小蘭香　年代와 由來 未詳
　　　　　　　　　소 란 향　연대　　유래　미상

No.276

★七夕/七夕 날
　칠석　칠석

南國文章分手地 에
남국 문장 분수지

漢陽娥女送眸時 라.　　　娥/예쁠　　眸/눈동자
한양 아여송모시　　　　　　　아　　　　　모

搖搖風帆無情去 하니　　搖/흔들일
요요풍범무정거　　　　　요

人影波光與月移 라.
인영 파광 여월이

☞남국의 문장들이 서로 헤어진 땅이요
　한양의 여인들이 임을 보낸 곳이네.
　멀리 돛단배가 무정하게 떠나는데
　임의 그림자가 달이 갈수록 멀어지네

※이 시는 사랑하는 임과의 離別을 牽牛 織女의 헤어지는
　　　　　　　　　　　　　　이별　　견우　직녀

情景으로 譬喩하여 읊은 것이다 ☺分水地/손을 잡고 헤어진
정경　　　　비유　　　　　　　　　분수지

땅(곳) 娥女/예쁜 여자 搖搖/흔들리는 모습. 錦鶯　　錦/비단
　　　아녀　　　　　　요요　　　　　　　금앵　　금

鶯/꾀꼬리
앵

No.277

★春日/봄날
　춘일

綠水千回尋舊逕 이요 黃鶯百囀選高枝 라.
녹수 천회 심구경　　황앵 백전 선고지

來登溪樹靑岺出 하니 坐看桃花白日遲 라.
래등 계수 청영출　　좌간 도화 백일지

逕/소로　　囀/지저귈　　選/가릴　　岺/재
경　　　　전　　　　　　선　　　　영

☞물굽이를 돌아 옛 길을 찾아드니
꾀꼬리는 높은 가지에서 우네.
높은 정자에 올라와
복사꽃을 멀리 바라보고 있네.

※이 시는 봄날 푸른 물이 흐르고, 꾀꼬리가 우는 산에 올라
와서 복사꽃이 한낮에 지는 것을 보고 쓴 것이다.

☺綠水千回/푸른 물이 천 번이나 돌아서 나감 百囀/백 번이나
　녹수 천 회　　　　　　　　　　　　　　　　　　 백 전

울음 溪樹/시냇가의 나무 靑岺/푸른 산 작가 玉蘭
　　 계 수　　　　　　　　청 영　　　　　 옥란

USAGI_POST

★閨怨/거울 앞에서　　閨/도장방　怨/원망할
　규원　　　　　　　　　규　　　　　원

行雲一夢斷巫陽 하니　　　巫/무당
행운 일몽 단 무양　　　　　무

憔悴不勝羞對鏡 하니.　　憔/수척할　悴/파리할
초췌 불승 수 대경　　　　초　　　　　췌

懶向臺前理舊粧 이라　　羞/바칠　　懶/게으를
뢰향대전리구장　　　　　수　　　　　뢰

爲誰梳洗整容光 -고.　　梳/빗　　　粧/단장할
위 수 소 세 정 용광　　　소　　　　　장

☞사랑의 꿈이 마음을 슬프게 하는데
　겨우 일어나서 치장을 하고 있네.
　야윈 얼굴이 거울을 대하기가 싫은 것은
　누구를 위하여 치장하고 모양을 낸단 말인가.

※이 시는 임 그린 꿈을 깨고 치장을 하는데, 얼굴이
야위었지만 깨끗이 하고 뵐
사람이 없기 때문에 丹粧을 하지 않는다는 것을 描寫한
　　　　　　　　　　　단장　　　　　　　　　　묘사
것이다.

☺斷巫陽/미인과 잠자리를 같이 하는 것을 끊어버림. 꿈에서
　단 무양

깨어남. 臺前/집 앞,소양대의 앞 理舊粧/옛 치장을 다스림
　　　　대전　　　　　　　　　　이 구 장

梳洗/머리를 빗고 얼굴을 씻음　　　　　　작가　　玉丹
소 세　　　　　　　　　　　　　　　　　　　　옥 단

★春懷/봄날의 시름
춘 회

北樓春日又黃昏 하니
북 루 춘 일 우 황 혼

濕盡羅市拭淚痕 이라.   濕/축축할   拭/닦을
습 진 라 시 식 루 흔   습   식

蘆林風雨今何許 오
노 림 풍 우 금 하 허

怊悵應是可招魂 이라.   怊/슬플=悵   招/부를
초창 응 시 가 초 혼   초   창   초

☞정자에 봄날이 저물어 가는데
　젖은 수건으로 눈물 자국을 씻네
　갈대 숲에 비바람이 몰아치는데
　슬픈 마음 임을 그려보네

※이 시는 봄이 돌아오니 임 생각이 더욱 간절하여 눈물로
비단수건을 적시는데, 바람은 내 마음처럼 어찌 그렇게
부는가! 그리운 꿈이라도 꾸고 싶다는 것이다.

☺今何許/이제 어찌하여 그런가(그렇게 부른가)   招魂/임의
금 하 허   초혼

넋을 부름,임을 생각함. 작가 福介   介/ 끼일
복 개   개

★喜雨/비가 오네
희우

數點玄雲起遠峯 하니　　峯/봉우리
수 점 현운 기 원 봉　　　　　봉

漫天終日十分濃 이라.　　漫/질펀할　濃/짙을
만 천 종일 십분 농　　　　　만　　　　농

須臾化作人間雨 하여　　須/모름지기　臾/잠깐
수유 화작 인간 우　　　　수　　　　　유

沾得三秋滿野農 이라.　　沾/더할
첨 득 삼추 만 야 농　　　　첨

☞먹구름이 먼 산 위에서 일어나더니
　넓은 하늘을 온종일 덮고 있었네.
　삽시간에 비를 장만하여
　마른 논밭을 적시어 주네.

※이 시는 구름이 하늘에 가득 덮여 있더니 바로 비가 되어
내리기 때문에 논에 물이 가득하다는 것을 읊은 것이다.
☺玄雲/검은 하늘　十分濃/구름이 온통 덮여 있는 모습
　현운　　　　　　십분 농

須臾/잠깐 사이　野農/들논　　蘆花　　蘆/갈대
수유　　　　　야 농　　　　노화　　노

No.281

★刺字/팔에 글자는
　자자

蘆花臂上刻誰名 -고　　臂/팔　　刻/새길
노화 비 상 각 수 명　　　　비　　　각

墨入雪膚刺字明 이라.　　膚/살갗　刺/찌를
묵 입 설부 자자 명　　　　부　　　자

寧見大同江水盡 이언정
영 견 대동강 수 진

此心終不負初盟 이라.　　　負/질
차심 종 불 부 초 맹　　　　부

☞노화의 팔에다 누구 이름을 새겼는가
　먹이 흰 살에 스며 글자마다 또렷하네.
　차라리 대동강 물이 마를 지언정
　이 마음이 맹세를 어찌 저버리겠소.

※이 시는 노화의 팔에다가 애인의 이름을 새겨 글자가
선명한데 대동강 물이 다할지언정 임과의 맹세를 저버릴 수
없다는 것을 쓴 것이다.

☺刺字/글자를 살에다 새김　蘆花/노화는 평양 기생의 이름
　자자　　　　　　　　　　　노화

　不負初盟/처음의 맹세를 저버리지 않음.　작가 羞花
　불 부 초 맹　　　　　　　　　　　　　　　　수 화

huongnguyen123

★寄章文煥/章文煥에게
기 장 문 환 장 문 환

煥/불꽃
환

風帶潮聲枕簟凉 하니 江流曲似九回腸 이라.
풍 대 조성 침 단 량   강류 곡사 구 회 장

朱門深閉烟霞暮 하니 一點殘燈伴夜長 이라.
주문 심한 연 하 모   일점 잔등 반 야 장

潮/조수   簟/대광주리   烟/연기   霞/노을   伴/짝
조   단   연   하   반

☞바다 바람이 불어와 방안이 서늘한데
  강물은 굽이굽이 창자와 같네
  문이 닫혀 있고 안개 속에 해는 어두워 가는데
  한 점 등잔불이 밤을 밝히고 있네.

※이 시는 장문환에게 보낸 것으로 가을 바람이 불어와
마음이 더욱 쓸쓸한데 문을 닫고 긴 밤을 등잔불 밑에서 홀로
보내는 괴로움을 쓴 것이다.

☺枕簟凉/단량은 베게(목침)를 말하는데 베겟머리가 서늘함
    침 단 량

朱門/높은 사람의 집의 문(문에 붉은 색을 칠하였음으로
주문

주문이라 함)여기서는 아름다운 문의 뜻임. 伴夜腸/긴 밤을
                                        반 야 장

짝할 벗을 삼음.   작가 香娘
                     향 랑

★懷夫/임 생각에
회 부

百年不盡蚉菲怨 하니   蚉/순무   菲/엷을
백년 불진 봉비원   봉   비

千古悲深孔雀詩 라.   孔/구멍   雀/참새
천고 비 심 공작시   공   작

唱到雜詞聲咽處 에   咽/목구멍 詞/말씀
창 도 잡 사 성 인 처   인   사

山花猶發可憐枝 라.   猶/오히려 憐/불쌍히여길
산화 유 발 가련 지   유   련

☞백 년의 한을 어떻게 다 말할 것인가
  뼈에 사무치는 슬픔이 이부자리에 서려 있네.
  노래를 부르다가 설움이 맺히는데
  산 꽃이 가련한 가지에도 피어 있네.

※이 시는 남편과 떨어져 있으면서 그리움을 노래 부르는데
자신의 처지처럼 가련한 가지에 꽃이 피고 있다는 것을 읊은
것이다.

☺懷夫/남편을 그리워 함 蚉菲怨/봉비는 가냘픈 여자를
 회 부   봉비원

말함,곧 여자의 원망 吁咄   吁/클   咄/꾸짖을   高麗 때
                      우 돌   우   돌   고려

龍城의 妓生이었으며 詩에 能하였다.
용성   기생   시   능

No.284
★呈宋佐幕國瞻/굳은 마음   呈/드릴   佐/도울   瞻/볼
 정 송 좌막 국 첨   정   좌   첨

黃平鐵腸早知堅 이나　　　　　旱/가물　堅/굳을
황 평 철장 한 지견　　　　　　한　　　　　　견

兒本無心共枕眼 이라.　　　　眼/눈
아 본 무 심 공 침 안　　　　　　안

但願一宵詩酒席 에　　　　　　但/다만　宵/밤
단 원 일소 시주 석　　　　　　　단　　　　　　소

助吟風月結芳綠 이라.　　　　吟/읊을
조 음 풍월 결 방록　　　　　　　음

☞광평의 굳은 마음을 내가 일찍 알지만
　내 근본 잠자리에 모시고 싶은 생각은 없네
　다만 하룻밤 글짓고 술을 마시는 자리에
　풍월에 읊으며 인연을 맺고 싶을 뿐이네

※이 시는 송좌막 국첨 에게 준 시다, 그대의 마음이 굳은지
알고 있기 때문에 내가 같이 자고 싶은 생각은 없지만 다만
한 술자리에서 시를 읊으며 인연을 맺고 싶다고 하였다.
☺黃平鐵腸/옛날 황평군과 같은 쇠 같은 창자　　結芳緣/좋은
　　황 평 철장　　　　　　　　　　　　　　　　　결 방 연

인연을 맺음.　작가 福娘
　　　　　　　　　　복 랑

No.285

★贈李承旨/임에게　　　　　　　　旨/맛있을
　증 이 승지　　　　　　　　　　　　지

楊柳枝詞唱得低 하니　離亭新雨旱鶯啼 라.
양 유 지 사 창 득 저　이 정 신 우 한 앵 제

洲蘆短短江籬綠 하니　之子歸時沒馬蹄 라.
주 노 단 단 강 리 록　지 자 귀 시 몰 마 제

洲/섬　　籬/울타리　　沒/가라앉을　蹄/굽
주　　　리　　　　　　몰　　　　　　제

☞양류사의 노래를 나직히 부르는데
　떠나는 슬픔을 가랑비 내리고 꾀꼬리가우네
　갈대는 돋아나 강둑 길에 푸른데
　낭군이 돌아간 말발굽이 보이지 않네

※이 시는 이승지에게 보낸 것으로 楊柳枝詞를 읊으며 작별
　　　　　　　　　　　　　　　　　양류지　사

하는데 비가 내리고 꾀꼬리도 울고 있다, 갈대가 강둑에
자라서 가는 임의 모습이 보이지 않는다고 읊었다.

☺楊柳枝詞/버들가지의 노래　　離亭/떠나는 정자
　양류지　사　　　　　　　　　　이정

江籬綠/강둑에 갈대가 자라서 푸른 것을 말함　之子/여기서는
강리　록　　　　　　　　　　　　　　　　　　　지 자

떠나가는 임을 말함.　저자 憶君　憶/생각할
　　　　　　　　　　　　억 군　억

areumming

★孤枕/벌레소리 슬픈데
　고침

楊山舘裏西風起 하니　　　　楊/버들　舘/객사
양산 관 이 서풍 기　　　　　　　양　　　　관

後山欲醉前江淸 이라.
후산 욕 취 전강 청

紗窓月白蟲聲咽 하니
사창 월 백 충성 인

孤枕衾寒夢不成 이라.
고침 금 한 몽불성

☞양산관 집에 서풍이 불어오니
　뒷산은 흐려지고 앞 강은 맑게 흐르네.
　창에 달은 밝고 벌레소리 슬픈데
　외롭고 쓸쓸하여 꿈을 이룰 수가 없네.

※이 시는 임이 없는 밤,달이 밝고 벌레는 울어대는데 잠이
오지 않는다는 것을 쓴 것이다.

☺楊山舘/집 이름　後山欲醉/뒷산의 아지랑이가 끼어서 흐릿한
　양산 관　　　　　　후산 욕 취

것을 말함
저자 桃花
　　　도화

★洛東江/洛東江 위에서　　洛/강이름
　낙동강　낙동강　　　　　　낙

洛東江上初逢君 이러니
낙동강 상초봉군

普濟院頭更別君 이라.　　普/널리　院/담
보제원　두갱별군　　　　　　보　　　원

桃花落地紅無跡 하니　　　　跡/자취
도화　낙지홍무적　　　　　　적

明月何時不憶君 -가.　　　　憶/생각할
명월　하시불억군　　　　　　억

☞낙동강 위에서 처음 임을 만났는데
　普濟院 뜰에서 다시 임과 이별하네.
　보제원

　복사꽃이 땅에 져 흔적도 없는데
　달밤이면 임이 그리워 살 수가 없네.

※이 시는 임을 만났다가 離別하고는 항시 생각으로 지낸다는
　　　　　　　　　　　　이별
것을 쓴 것이다.
☺普濟院/집 이름　何時不憶君/어느 때나 그대를 생각지
　보제원　　　　　하시 불억 군
않으리오　　작가 楚玉
　　　　　　　　　초 옥

No.287

★有鄉生挑之以詩拒之/나는 화씨의 구슬　挑/휠　拒/막을
　유향생도지이시거지　　　　　　　　　　도　　　거

我本荊山和氏壁 으로　　　荊/모형나무
아 본형산화씨벽　　　　　형

偶然流落洛江頭 라　　　　猶/오히려
우연 유락 낙강두　　　　　유

秦城十五猶難得 이어늘　　秦/벼이름/나라이름
진성 십오 유난득　　　　　진

何況鄕關一腐儒 오　　　況/하물며　　腐/썩을 儒/선비
하 황 향관 일 부 유　　　　황　　　　　부　　　유

☞나는 본래 형산에서 난 화씨의 구슬로
　우연히 낙동 강변에 떨어졌네
　진나라 성 십오 개 하고도 바꾸지 않았는데
　하물며 시골뜨기 썩은 선비를 상대하겠는가

※이 시는 시골 선비가 시 짓기 내기를 하자고 하거늘, 이시를
지어서 거절했다는 것인데,자신은 화씨벽으로 낙동강에서
살지만 진나라 성 십오 개와도 바꿀 수 없는 몸인데 하물며
일개 썩은 시골 선비를 상대하겠는가 하고 봉변을 준 것이다.

☺和氏壁/옛날의 寶玉,楚人이 화씨벽을 얻어서 厲王에게 바친
　　화씨 벽　　　　　보옥　초인　　　　　　　　　여 왕

고사에서 나온 말임　厲/갈 작가 桂香　晉州의 妓生
　　　　　　　　　　　여　　　계향　진주　기생

silenceommo

No.288

★寄遠/임 생각
　기　원

別後雲山隔渺茫 하니　夢中歡笑在君傍 이라.
별후　운산　격　묘망　　　몽중　환　소　재　군방

覺來半枕虛無影 이오　側向殘燈冷落光 이라.
각래　반　침　허무　영　　　측　향　잔등　냉　낙광

何日喜逢千里面 가　此時空斷九回腸 이라.
하일　희봉　천리　면　　　차시　공　단　구　회장

窓前更有梧桐雨 하니　添得相思淚幾何 라.
창전　갱유　오동　우　　　첨　득　상　사　누　기　하

渺/아득할=茫　　　傍/곁　　腸/창자　　添/더할
묘　　　　　망　　　방　　　　장　　　　첨

☞이별한 후 소식이 아득하니
　꿈에서나 임의 곁에 있게 되네.
　깨고 보면 옆자리가 비어 허전하니
　옆으로 잦아드는 등잔불만 바라보네
　언제나 떨어진 임을 만날 것인가
　지금 내 창자는 끊어질 듯하네
　오동 잎이 지는 빗소리를 들으면
　그리운 눈물이 흘러내리네.

※이 시는 떨어져 있는 임생각으로 잠을 이루지 못하는
안타까움의 쓸쓸한 마음을 읊은 것이다.
☺雲山/구름과 산이 막혀서 소식이 없음을 말한 것임
　운산

冷落光/차가운 불똥이 떨어짐
냉 낙 광

千里面/천리나 멀리 떨어진 임   작가 眞玉
천리 면   진옥

No.289

★烏/까마귀
　오

一隊群烏坐樹枝 하니 雌雄似古有誰知 오,
일대 군 오 좌 수 지   자웅 사 고 유 수 지

形非白雁難傳信 오   類異金鷄未報時 라.
형 비 백 안 난 전 신   유 이 금 계 미 보 시

赤壁夜過驚漢將 이오 銀河曉散泣天姬 라.
적벽 야 과 경 한 장   은하 효 산 읍 천 희

爾之爲物禽中惡 하니 忙把瓦端打起宣 라.
이 지 위 물 금 중 악   망 파 와 단 타 기 선

雌/암컷   雄/수컷   類/무리   將/장차 姬/성   禽/날짐승
자   웅   유   장   희   금

忙/바쁠   把/잡을   端/바를   打/칠   宣/베풀
망   파   단   타   선

☞까마귀떼가 나뭇가지에 앉아 있으니
모습이 같아 자웅을 분간할 수 없다.
모습이 기러기와 다르니 소식도 전하지 못하고
형용이 닭과 다르니 시간을 알리지도 못한다
적벽강에서 한나라 장수를 놀라게 하였고
은하수에서 날아가 직녀가 울었네
너는 새 가운데 추물이라,
기와 쪽을 던지어 쫓아버리겠다.

※이 시는 까마귀에 대하여 쓴 것이다, 기구에는 까마귀는
자웅을 알 수 없다는 것을,승구에서는 모습에 대한 것을,
전구에서는 고사를, 결구에서는 새 중 추물이니 돌을 던져
쫓아버린다는 것을 쓴 것이다.

☺赤壁/중국의 적벽강을 말하는데, 한나라 장수가 까마귀
　　적벽

소리에 놀랐다는 고사에서 나온 말　　　天姬/직녀를 말함.
　　　　　　　　　　　　　　　　　　천 회

작가 小紅 平壤의 妓生
　　　소 홍 평양　　기생

No.289

★一枝花/한 가지 꽃
　일 지 화

北風吹雪打簾波 하니
복풍 취설 타 렴 파

永夜無眼正若何 오.　　　　　　　若/같을
영 야 무 안 정 약 하　　　　　　　　약

塚上他年人不到 하리니
총 상 타년 인 부 도

可燐今世一枝花 라.　　　　　燐/도깨비불/반디불
가 린 금세 일 지 화　　　　　　린

☞북풍이 눈보라치며 땅을 때리니
　긴 밤 자지 못하고 괴로워하기만 하네.
　내 죽으면 무덤을 찾을 사람이 없을 것이니

이 몸은 바람에 지는 가지의 꽃 잎사귀.

※이 시는 북풍이 몰아치는 긴 밤을 자지 못하는 것은 죽으면 찾아올 사람이 없는 가련한 신세이기 때문이라고 하였다.

☺打簾波/발이 바람에 나부끼어 파도처럼 흔들거림.
타 염 파

塚上/무덤 위   朝雲 작가 朝雲   燕山 때 晉州 妓生
총 상   조운   조운   연산   진주   기생

燕/제비
연

YHBae

★共臥一間屋/초가집에 누워서
　공 와 일간 옥

富貴功名且可休 하고　　　　且/또
부귀공명　차 가 휴　　　　　　차

有山有水足遨遊 라,　　　　遨/놀 =遊
유 산 유 수 족 오 유　　　　　오　　유

與君共臥一間屋 하여
여 군 공 와 일간 옥

秋風明月成白髮 이라.　　　　髮/터럭
추풍　명월 성 백 발　　　　　발

☞부귀와 공명을 다 내던지고
　산수 좋은 곳에서 살고 싶네
　임과 함께 초가집에 누워서
　바람과 달을 즐기며 늙도록 살고 싶네.

※이 시는 일시 부귀공명을 내던지고, 산수와 아름다운 곳에서
놀 뿐 아니라 그대와 함께 한 칸의 초가집에 살면서 평생을
같이 지냈으면 좋겠다고 표현한 것이다.

☺且可休/또 가히 쉼,잠시 부구공명을 쉬고,일을 내던지고.
　차 가 휴

足遨遊/족히 이리저리 놀러 다님　成白髮/백발이 되도록 삶
족 오 유　　　　　　　　　　　　성 백 발

於于同　　於/어조사 = 于
어 우 동　　어　　　　　우

★白馬臺/扶餘에서　　　　　　　扶/도울
　백마　대　부여　　　　　　　　　부

白馬臺空輕幾歲 요　　　　　　幾/기미
백마　대 공 경 기 세　　　　　　기

落花巖立過多時 라.
낙화암 입 과 다시

青山若不曾緘默 인데　　　曾/일찍　緘/봉할　默/묵묵할
청산 약 불 증 함묵　　　　　증　　　함　　　묵

千古興亡問如何 오.
천고　흥망　문 여하

☞저 쓸쓸한 백마대는 얼마나 되었는고
　낙화암도 많은 세월이 지나갔네.
　청산이 만일 침묵을 지키지 않는다면
　천고의 흥망을 알 수 있을 것이네.

※이 시는 부여에 대한 회고의 시다, 백마대와 낙화암이 많은
세월을 흘러보냈는데, 청산이 침묵을 지키지 않고 말을 한다면
옛날부터 지금까지의 흥망을 묻고 싶다는 것이다.

☺白馬臺/부여에 있었든 대(다리)　問如何/묻건데 어떠한가
　백마　대　　　　　　　　　　　 문 여하

全州妓生
전주　기생

No.292

★怨詞/怨望의 노래　　　　　　怨/원망할
　원사　원망　　　　　　　　　　원

我本天上月中娘 으로
아 본천 상 월중 낭

謫下人間第一唱 이라.
적하 인간 제일 창
謫/귀양갈　　　唱/노래
적　　　　　　　창

當年若在蘇臺下 런들
당년 약 재 소 대 하
若/같을　　　蘇/차조기
약　　　　　　소

豈使西施取吳王 -고.
개 사 서시 취 오왕
豈/어찌　　　使/하여금
개　　　　　　사

☞나는 본래 천상의 달 속에 사는 선녀로
　인간에 내려와 제일가는 명창이 되었네.
　오나라 때 만일 내가 소대에 있었다면
　어찌 서시가 오왕을 모시게 되었으리오.

※이 시는 나는 천상의 선녀로 인간의 제일가는 명창이

되어서 내려왔는데 내가 만일 蘇臺에 있었다면 西施가 어떻게
　　　　　　　　　　　　　　소 대　　　　　　서시

吳王을 모실 수 있었을 것인가 하고 자신의 아름다움을 말한
오왕

것이다.

☺月中娘/달 속에 사는 선녀　謫下/귀양살이로 내려옴
　월중 랑　　　　　　　　　　적하

蘇臺/옛날 중국의 서시가 놀던 곳 西施/중국 월나라 구천의
소 대

총애를 받은 미인인데 후에 오왕 부차에게 바쳤음.

작가 慶州妓生　慶/경사
　　　　　　　　경

No.293

★月城宴吟/잔치에서　　　　　宴/잔치　　　吟/읊은
　월성 연 음　　　　　　　　　연　　　　　　음

一鞭征馬渡江來 하니　　　　　鞭/채찍
일 편 정마 도강 래　　　　　　편

佳客風流錦蓆間 이라.　　　蓆/자리
가객 풍류 금 석 간　　　　　　석

何惜屛間珊瑚帶 리오　　　珊/산호=瑚
하 석 병간 산호 대　　　　　　산　　호

且傾手裏鸚鵡杯 라.　　　傾/기울　鸚/앵무새=鵡
차 경 수 이 앵무배　　　　　경　　　　앵　　　무

☞말을 채찍질하여 강을 건너와서

　風流客이 앉아 있는 자리에 왔네.
　풍류 객

　병풍 사이에 아끼던 산호의 띠를 띠고서
　소중히 아낀 앵무잔에 술을 따르네.

※이 시는 강을 건너서 온 손님과 술을 마시는데 珊瑚의 띠와
　　　　　　　　　　　　　　　　　　　　　　산호

鸚鵡의 잔이 아까울 것이 없다는 것을 쓴 것이다.
앵무

☺征馬/말을 타고　錦蓆間/비단 자리의 사이에 모여 있음
　정마　　　　　　　금석 간

珊瑚帶/산호로 만든 띠. 작가 襄陽妓生　　　襄/도울
산호 대　　　　　　　　　양양 기생　　　　　양

No.294

★除夕/그믐 밤　　　　　　除/섬돌
　제석　　　　　　　　　　제

歲暮寒窓客不眠 하니
세모 한창 객불안

思兄憶弟意凄然 이라.　　　凄/쓸쓸할
사 형 억 제 의 처 연　　　　　처

孤燈欲滅愁歎歇 하니　　　滅/멸망할　歎/읊을　歇/쉴
고등 욕 멸 수 탄 헐　　　　멸　　　　탄　　　헐

泣抱朱絃餞舊年 이라.　　　絃/악기줄　餞/전별할
읍 포 주현 전 구 년　　　　현　　　　전

☞이 해도 저무는 차가운 밤에 나그네 잠 못 이루고
　고향의 형제를 생각하니 마음이 슬퍼지네
　등잔불 가물거리고 시름은 끝없이 이어지는데
　거문고를 눈물로 타며 가는 해를 보내네

※이 시는 객지에서 해를 마지막 보내면서 자지않고　형제를
　생각하다가 시름과 탄식 끝에 눈물로 거문고를 타며 일년을
　보내는 심정을 쓴 것이다

☺除夕/섣달 그믐 날　凄然/슬픈 모습　愁歎歇/근심과 탄식을
　　제석　　　　　　　　　처연　　　　　　　수 탄 헐

하고 나서　舊年/묵은 해　작가 憶春
　　　　　　구년　　　　　　　억 춘

YS-Park

★洛東江
낙동강

威如霜雪思如山 하니   威/위엄
위 여 상설 사 여 산   위

不去爲難去亦難 이라.   亦/또   難/어려울
불 거 위 난 거 역 난   역   난

回首洛東江水落 하니   回/돌
회 수 낙동강 수락   회

此身危處此心安 이라.
차신 위 처 차심 안

☞위엄은 서릿발 같고 은혜는 산과 같으네
 가지 않는 것도 어렵고 가는 것도 또한 어렵네.
 머리를 돌려 낙동강의 물을 바라보니
 이 몸이 빠져 죽는 것이 차라리 마음이 편할 것 같네.

※이 시는 내 임은 위풍이 있고, 또 은혜도 입었기 때문에
헤어질 수가 없는데 헤어지지 않으면 안 될 운명이라, 차라리
낙동강에 빠져 죽는 것이 마음이 편안할 것인가 하고 읊었다.
☺危如霜雪/임의 위엄스러움이 서릿발 같음 危處/위험한 곳,
  위 여 상설   위 처

빠져 죽는 것. 작가 洪娘
                    홍 랑

★寄崔孤竹/崔 孤竹에게
 기 최 고 죽 최 고죽

相看脉脉贈幽蘭 하니　　　脉/훔쳐볼　　贈/보낼
상 간 맥 맥 증 유 란

此去天涯幾日遲 오.　　　涯/물가
차 거 천애 기일 지

莫唱咸關舊時曲 하라　　　唱/노래할　　咸/다
막 창 함관 구 시 곡

至今雲雨暗靑山 이라.
지금 운우 암 청산

☞ 서로 말없이 보고 있다가 蘭草를 贈呈하였네
　　　　　　　　　　　　　　난초　　　증정

　지금 멀리 떠나시면 언제나 오시는지.

　이별의 옛 노래를 부르지 말아라

　지금 비구름이 靑山을 감돌고 있다.
　　　　　　　　청산

※이 시는 崔孤竹을 離別하면서 슬픈 심정을 쓴 것이다.
　　　　　최 고 죽　　이별

☺脉脉/말없이 쳐다보는 것 幾日遲/몇칠이나 더딜 것인가?
　맥 맥　　　　　　　　　　기일 지

작가 國色
　　　국색

No.297

★偶吟/층암절벽에서　　　偶/짝　　吟/읊을
　우음

步上層崖欲盡頭 하니　　　崖/벼랑
보 상 층 애 욕 진두

危欄千尺府長流 라.　　　欄/난간　　府/곳집
위 란 천척 부 장류

此時自有神仙屈 하니　　　屈/굽을
차시 자유 신선 굴

何必蓬瀛海外求 오.　　　蓬/쑥　　瀛/바다
하필 봉영 해외 구

☞걸어서 층암절벽에 올라가니
  천길이나 되는 낭떠러지 밑에 강이 흐르네
  이곳이 신선이 사는 굴이 있는데
  어찌 봉래 영주산을 찾을 것인가

※이 시는 층암절벽 높은 곳에 올라 낭떠러지르 굽어보니
경치가 매우 아름다워서 봉래 영주산을 바다 속에서 구할
필요가 없다고 쓴 것이다.

☺欲盡頭/꼭대기가 다하고자 함,가장 높은 곳에 닿음
  욕 진 두

蓬瀛/신선이 산다는 봉래산과 영주산
  봉영

cpk8240

参考事項

女流 詩文을 한데 엮은 朝鮮時代 女流詩文 集에서 가려서
여류 시문   조선시대   여류 시문 집

飜譯한 것이다.
번역

女流들이 쓴 詩이기 때문에 女子만이 가질 수 있는 纖細한
여류   시   여자   섬세

感情과 詩情을 느낄 수 있을 뿐만아니라, 社會의 表面에
감정   시정   사회   표면

잘나타나지 않은 儒敎 思想의 그늘 밑에서 이들의 많은
                유교 사상

恨과아름다운 庶情을 發見할 수 있을 것이다.
한   서정   발견

이 詩集을 通하여 우리 民族의 얼이 담긴 우리나라 女人들의
   시집   통   민족   여인

마음을 더욱 깊이 理解하게 될 것을 바랍니다.
                이해

cskkkk

姓名		姓名	
三宜堂 金氏 (삼의당 김씨)	正祖때 사람, 全北 南原 (정조, 전북 남원)	崔氏 (최씨)	鄭志遜의 夫人 (정지손, 부인)
桂生 (계생)	梅窓 扶安 妓生 (매창, 부안, 기생)	金氏 (김씨)	慶參判 崔一의 夫人 (경참판 최일, 부인)
蘭雪軒 許氏 (난설헌 허씨)	宣祖때 사람,草堂 許曄의 딸 (선조, 초당 허엽)	宋氏 (송씨)	眉庵 柳希春의 夫人 (미암 유희춘, 부인)
竹西 (죽서)	哲宗때 사람,號 半啞堂 (철종, 호 반아당)	蘭西 (난서)	年代 由來 未詳 (연대 유래 미상)
李玉峰 (이옥봉)	宣祖때 사람 (선조)	潭桃 (담도)	//
黃眞伊 (황진이)	明月, 中宗때 사람 (명월, 중종)	林碧堂 金氏 (임벽당 김씨)	義城人 汝舟 夫人 (의성인 여주, 부인)
雲楚 (운초)	芙蓉, 朝鮮 中期 (부용, 조선 중기)	隱松 (은송)	年代 由來 未詳 (연대 유래 미상)
幽閑堂 (유한당)	憲宗때 사람 (현종)	陰松 (음송)	//
李氏 (이씨)	延安府院君 李貴의 딸,스님임 (연안부원군 이귀)	南氏 (남씨)	//
錦園 (금원)	原州 사람 (원주)	宋媛 (송원)	//
靜一堂 (정일당)	晉州 사람 (진주)	全州民家女 (전주 민가 여)	
令壽閣 徐氏 (영수각 서씨)	觀察使洄修의딸 承旨洪仁謨妻 (관찰사 형수, 승지 홍, 인 모 처)	義洲 妓生 (의주 기생)	
翠蓮 (취련)	北島의 妓生 (북도, 기생)	一枝紅 (일지홍)	成川의妓生 (성천, 기생)
竹香 (죽향)	平壤 妓生 (평양, 기생)	平壤女 (평양 여)	
鳳仙女史 (봉선 여사)	年代 由來 未詳 (연대 유래 미상)	小香 (소향)	年代 由來 (연대 유래)

師任堂申氏 (사임당신씨)	宣祖때사람,栗谷의 母 (선조 율곡 모)	研 丹 (연 단)	未詳 (미상)
翠 仙 (취 선)	號는 雪竹,金哲遜의 小室 (호 설죽 김철손 소실)	柳 氏 (유 씨)	同知 南鍾萬의 母 (동지 남종만 모)
溫 亭 (온 정)	年代 由來 未詳 (연대 유래 미상)	秋 香 (추 향)	年代 由來 未詳 (연대 유래 미상)
桂 月 (계 월)	平壤 名妓,英祖때 사람 (평양 명기 영조)	洪唐城小室 (홍당성소실)	//
李 媛 (이 원)	年代 由來 未詳 (연대 유래 미상)	郭 氏 (곽 씨)	號晴窓師傅 始徵의딸 (호 청창 사부 시징)
勝二喬 (승 이교)	晉州 名妓 (진주 명기)	村 女 (촌 녀)	
小 琰 (소 염)	成川 妓生 (성천 기생)	李渶妹 (이 영매)	光州 交官 (광주 교관)
張 氏 (장 씨)	安東人,經史에 능함 (안동인 경사)	沈 氏 (심 씨)	李楫의 夫人 (이 즙 부인)
十四歲아이 (십사세)	年代 由來 未詳 (연대 유래 미상)	楚 雲 (초 운)	
繡香閣 元氏 (수향각 원씨)	//	凌 雲 (능 운)	
崔 蠻 (최 낭)	//	李恪夫人 (이각 부인)	世宗때 李恪의 夫人 (세종 이각 부인)
閨秀 安玉媛 (규수 안옥원)		金農巖의 妻 (김 농암 처)	
女僧慧定 (여승 혜정)		嚴灌夫의 妻 (엄 관부 처)	
楊士彦小室 (양사언 소실)		蒼巖 金氏 (창암 김씨)	光州人,醜貌라蒼巖라함 (광주 인 추모 창암)

女僧 慧定 여승 혜정		嚴灌夫의 엄관부 妻 처	
楊士彦 양사언 小室 소실		蒼巖 金氏 창암 김씨	光州人, 醜貌 광주 인 추모 라 蒼巖이라 창암 함
鄭 氏 정 씨	監司 道成의 딸 감사 도성	李齊賢 妻 이제현 처	高麗의 고려 文臣 문신 李齊賢 이제현
鄭 氏 정 씨	子順의 딸,郡守의 부인 자순 군수	成 氏 성 씨	仁齊 嬉의 인 제 회 딸
鄭 氏 정 씨	年代 由來 未詳 연대 유래 미상	氷壺堂 빙호 당	宗室 肅川 종실 숙천 의 令夫人 영부인
鄭 氏 정 씨	草溪郡守 點의딸 초계군수 점	小玉花 소 옥 화	巨濟島 거제도 南村의 남촌 女子 여자
鄭 氏 정 씨	年代 由來 未詳 년대 유래 미상	小蘭香 소 란 향	이 외에도 다수 있음

부록

悶旱
민 한

悶/번민할　旱/가물
민　　　　　　　한

農圃年年苦旱天
농포　년년고한천

圃/밭
포

邇來林下絶鳴泉
이래 임하 절명천

邇/가까울
이

野人不識幽人意
야인 불식 유인 의

幽/그윽할
유

燒盡靑山作火田
소진 청산 작화전

燒/사를 ☞농가는 해마다 가뭄이 그
소

심스럽고

근래는 숲속의 샘물마저 말랐다네.
농부는 애타는 나의 마음을 모르는지
푸른 산을 다 태워 또 화전을 일구네.

※李彦迪(1491,成宗22~1553,明宗8)
　이언적　　　　　성종　　　　　　명종

朝鮮　中期의　文臣.　吏曹判書,左贊成등을　歷任.良才驛　壁書
조선　　중기　　문신.　이조판서,좌찬성　　　　역임　양재역　벽서

事件에　連累되어　江界에서 죽었다. 累/묶을　　　彦/선비　　迪/
사건　　연루　　　강계　　　　　　　　루　　　　언　　　　적

나아갈

★煩雜한　日常에서　조출한 삶을 꿈꾼다. 屠隆의　淸言 몇 則
　번잡　　　일상　　　　　　　　　　　　　도륭　　청언　　칙

을 골라 읽는다. 煩/괴로워할　　屠/잡을　隆/클
　　　　　　　　　번　　　　　도　　　　룽

老去自覺 萬緣都盡,那管人是人非,春來尙有一事
노거 자각　만연 도 진 나 관 인 시 인 비 춘래 상유 일사

關心,只在花開花謝.
관심 지재 화개 화사

緣/가선　　　那/어찌　　　尚/오히려　　　謝/사례할
　연　　　　　나　　　　　상　　　　　　　사

☞늙어가며 온갖 인연이 모두 부질없음을 자각하게 되니,
　인간의 옳고 그름을 어이 상관하겠는가? 봄이 오매 그래도
　한 가지 일에 마음이 끌리니 다만 꽃이 피고 시드는 것이라
네.

※위 글은 順眼輒空에서 발췌한 것임,
　　　　　순 안 첩 공

明霞可愛,瞬眼而輒空. 流水堪聽, 過耳易不戀,
명 하 가애 순 안 이 첩공 유수 감청 과 이 이 불연

人能以明霞視美色,則業障自經. 人能以流水聽
인 능 이 명하 시 미색 즉 업장 자경 인 능 이 유수 청

絃歌,則性靈何害?.
현가 즉 성 령 하 해

霞/놀　　輒/문득　　堪/견딜　　戀/사모할　　障/가로막을
　하　　　첩　　　　감　　　　연　　　　　　장

經/날/세로　絃/악기줄　害/해칠
　경　　　　현　　　　해

☞밝은 노을이 어여뻐도 잠간 사이에 문득 사라진다, 흐르는
　물소리가 듣기 좋아도 스쳐 지나고 나면 그뿐이다.
　사람이 밝은 노을빛으로 어여뿐 여인을 볼진대 業障이 절로
　　　　　　　　　　　　　　　　　　　업장

가벼워 질 것이다. 사람이 능히 흐르는 물소리로 음악과
노랫소리를 듣는다면 性靈에 무슨 해로움이 있겠는가?
　　　　　　　　　성령

不窮而窮者, 窮于蠢. 不窮而不窮者,不窮于禮.
불궁 이 궁자 궁우준 불궁 이 불궁자 불궁 우례

是故君子貧而知義,富而知禮.
시 고 군자 빈 이 지 의 부 이 지례

于/어조사/가다/하다　　蠢/꿈틀거릴　　是/옳을
우　　　　　　　　　준　　　　　　시

☞궁한데 궁한 것은 貪慾 때문이다,　窮하지만 궁하지 않는 것
　　　　　　　　　　탐욕　　　　　궁

은 의리에서 궁하지 않아서다. 궁하지 않은데도 궁한 것은 어

리석음 탓이다,　궁하지 않는데 궁한 것은 禮義에 궁하지 않아
　　　　　　　　　　　　　　　　　　예의

서다. 이 때문에 君子는 가난해도 義理를 알고 富裕해도 禮法
　　　　　　　　군자　　　　　의리　　　　부유　　　예법

을 안다.

★座銘八條　　　　　　　　　　　座/자리　銘/새길　條/가지
　좌 명 팔조　　　　　　　　　　좌　　　명　　　조

淸獻公　趙抃의　座右銘　中　八字로된　八條目
청헌공　조변　　좌우명　중　팔자　　　팔조목

　　　　　　　　　　　　　　　　獻/바칠　　　忭/기뻐할
　　　　　　　　　　　　　　　　헌　　　　　변

첫째/無心於事,無事於心
　　　무심 어 사 무사 어심

　☞일에 무심해야　마음에 일이 없다

둘째/聞諸惡言,如風如響　　　　　　　　響/울릴
　　　문 제 악언 여 풍 여 향　　　　　　향

　☞여러가지 나쁜 말을 듣더래도 바람이난 메아리쯤으로 여
　　긴다.

셋째/人有不及,可以情恕　　　　　　　　恕/용서할
　　　인유 불급 가 이 정 서　　　　　　서

　☞남이 혹 부족해도 인정으로 품어주어야 한다.

넷째/非意上干,可以理遣　　　干/방패　　遣/보낼
　　　비의 상간 가이이견　　　　간　　　　견

☞서로 막을 뜻이 아니라면 理致로 따져 풀어야 한다.
　　　　　　　　　　　　　　　이치

다섯째/良田萬頃,日食二升　　　頃/밭넓이단위
　　　양전 만경 일식 이승　　　경

☞좋은 밭 만 이랑이 있다 해도 하루에 먹는 양은 고작 두 홉.

여섯째/大廈千間,夜臥八尺　　　廈/큰집
　　　대하 천 간 야 와 팔척　　　하

☞큰 집이 천간이라도 밤에 눕는 것은 여덟 자의 공간이면
된다.

일곱째/說得一尺,行得一寸
　　　설득 일척 행득 일촌

☞말은 한 자나 하면서 행함은 한 치만 한다.

여덟째/但行好事,莫問前程　　　但/다만　　程/단위
　　　단 행 호사 막 문 전 정　　　단　　　　정

☞다만 좋은일을 행할 뿐 앞 길은 묻지 않는다.

★多者必無
　다 자 필 무

바쁜 일상생활 속에서도 평온을 꿈꾼다, 일에 파묻혀 살아도
단출한 생활을 그리워한다.

明나라 彭汝讓의 木几冗談　　　彭/성　汝/너　　讓/사양할　几/안
명　　　팽여양　목궤용담　　　팽　　여　　　양　　　　궤

석　冗/쓸데없을
　　용

半窓一几,遠興閑思,天地何其寥闊也.淸晨瑞起,
반 창 일 궤 원 흥 한 사 천 지 하 기 요 활 야 청신 서 기

亭午高眠,胸襟何其洗滌也?
정오 고면 흉금 하 기 세척 야

窓/창　寥/쓸쓸할　闊/트일　瑞/상서　胸/가슴　襟/옷깃　洗/씻을
창　　　요　　　　활　　　서　　　흉　　　금　　　세

=滌
척

☞책상 앞에서 창을 반쯤여니,고상한 흥취와 한가로운 생각에
천지는 어찌 이다지도 아득한가? 맑은 새벽에 단정이 일어나
서는 대낮에는 베겨를 높이 베고 자니, 마음속이 어찌 이렇듯
이　 깨끗한가?

多躁者必無沈毅之識,多畏者必無踔越之見.
다 조 자 필 무 침 의 지 식 다 외 자 필 무 초 월 지 견

多欲者必無慷慨之節,多言者必無質實之心.
다욕 자 필 무 강 개 지 절 다언 자 필 무 질실 지 심

多勇者必無文學之雅.
다 용 자 필 무 문 학 지 아

躁/성급할　沈/가라앉을　毅/굳셀　畏/두려워할
조　　　　침　　　　　의　　　외

踔/달릴　慷/강개할　慨/분개할　雅/초오/우아
초　　　강　　　　개　　　　아

☞몹시 조급한 사람은 반드시 침착하고 굳센 식격이 없다
　두려움이 많은 사람은 대개 우뚝한 견해가 없다,
　　욕심이 많은 사람은 틀림없이 강개한 절개가 없다

말이 많은 사람은 늘상 실다운 마음이 없다,
용력이 많은 사람은 대부분 문학의 아취가 없다

※어느 한 부분이 지나치면 갖춰야 할 것이 사라진다, 급한 성
질이 침착함을 앗아가고,두려움은 과단성을 뺏아 버린다
다변은 마음을 허황하게 만든다. 힘만 믿고 날뛰면 사람이 천
박해 진다

ajs1980518

多富貴則易驕淫, 多貧賤則易局促,
다 부 귀 즉 이 교 음　 다 빈 천 즉 이 국 촉

多患難則易恐懼, 多酬應則易機械.
다 환 난 즉 이 공 구　 다 수 응 즉 이 기 계

多交遊則易浮泛, 多言語則易差失
다 교 유 즉 이 부 범　 다언 어 즉 이 차 실

多讀書則易感慨.
다독 서 즉 이 감 개

驕/교만할　淫/음란할　促/재촉할　局/판국　懼/두려워할
교　　　　　음　　　　　촉　　　　　국　　　　구

酬/갚을　浮/뜰 = 泛　　　慨/분개할
수　　　　부　　　범　　　　개

☞지나치게 부유하면 교만해져서 도리에 어긋나기 쉽다,
　너무 가난하거나 천하면 움츠려들기 쉽다.
　환난을 지나치게 겪으면 두려워하기가 쉽다.
　사람을 너무 많이 상대하면 수단을 부리기가 쉽다.
　사귀는 벗이 너무 많으면 들떠서 경박해지기가 쉽다.
　말이 너무 많으면 실수하기가 쉽다
　책을 지나치게 많이 읽으면 감개하기가 쉽다.

※많아 좋을 것이 없다, 지나친 부귀는 인간을 교만하게 만들
고 견디기 힘든 빈천은 사람을 주눅들게 한다 환난도 지나치
면 사람을 망가 뜨린다 종일 이일 저 일로 번다하고 날마다
이사람 저 사람과 만나 일 만들고 떠들어대면 사람이 붕떠서
껍데기만 남는다 말을 많이 하다보면 꼭 실수를 하게 되어 있
다 무턱대고 읽는 책은 읽지 않느니만 못하다.

寡言省謗,寡慾保身　　謗/헐뜯을　寡/적을
과언 성방 과욕 보신　　방　　　　　과

☞말을 적게 해야 誹謗이 줄어들고, 欲心을 줄여야만 몸을
　　　　　　　　비방　　　　　　　욕심

保全한다.
보전

簡言擇交,可以無悔吝,可以免憂辱.
간 언 택교 가 이 무 회 인 가 이 면 우 욕

簡/대쪽　　擇/가릴　悔/뉘우칠　吝/아낄
　간　　　　택　　　회　　　　인

☞말수를 줄이고 벗 사귐을 가려야만 뉘우침과 자만이 없고
　근심과 욕됨을 면할 수 있다.

多言獲利,不如黙而無害.　　獲/얻을　黙/묵묵/고요
다언 획 리 불 여 묵 이 무 해　　획　　　묵

☞말을 많이 해서 利得을 얻음은 沈黙하여 해로움이 없는 것
　　　　　　　　이득　　　침묵

만 못하다.

lynn_sokunthea

務名者殺其身, 多財者禍其後.
무 명 자 살 기 신　다 재 자 화　기 후

務/힘쓸
무

☞이름에 힘쓰는 자는 그 몸을 죽이고, 財物이 많은 자는 그
　　　　　　　　　　　　　　　　　　　　　　재물

後孫에게 災殃이 있다.
후손　　　　재앙

※檢身省心/몸 단속을 잘 하고 마음을 점검한다.
　검신 성심

(한글+한자 문화 7월호 중에서)

一盂朝夕一裘冬　　峽畝躬耕學老農
일 맹 조 석 일 구 동　　협 묘 궁 경 학 노 농

得酒有時同跌宕　　論詩無日不從容
득 주 유 시 동 질 탕　　논 시 무 일 불 종 용

泥塗軒冕曾非遯　　笑傲江山豈是庸
니 도 헌 면 증 비 둔　　소 오 강 산 기 시 용

昨夜晴霜酣萬木　　試看丹葉爲携筇
작 야 청 상 감 만 목　　시 간 단 엽 위 휴 공

裘/갖옷/가죽옷　　峽/골짜기　　畝/이랑　　跌/넘어질
구　　　　　　　　협　　　　　묘　　　　　질

宕/방탕할　　　　容/얼굴　　　泥/진흙　　冕/면류관
탕　　　　　　　　용　　　　　니　　　　　면

曾/일쯕　　　　　遯/달아날　　傲/거만할　豈/어찌
증　　　　　　　　둔　　　　　오　　　　　기

庸/쓸　　　　　　酣/즐길　　　携/끌　　　筇/대이름
용　　　　　　　　감　　　　　휴　　　　　공

☞아침 저녁 한 사발 술에 갖옷 하나로 겨울 나면서
　산골 논 몸소 갈며 늙은 농부의 일 배운다네
　술을 얻으면 때때로 함께 마음 껏 취하고
　시를 논하면서 조용하게 지내지 않는 날 없도다
　높은 벼슬 흙탕 같이 생각하니 隱遯한 적은 없고
　　　　　　　　　　　　　　　　은둔

산수 속에서 웃으며 滔滔하게 사니 못난 것 아니라네
도도

어제 밤 갠 하늘의 서리가 여러 나무에 흠뻑 내렸는데
단풍잎 보고자 하여 지팡이 짚고 간다네. / 滔/물넘칠
도

※聱齖齋 姜錫圭(1628 仁祖6~1695 肅宗21)
오 아 재 강석규   인조   숙종

朝鮮 中期 文臣. 軍資監正, 春秋館編修官 等을 歷任.
조선 중기 문신 군자감정   춘추관편수관   등   역임

(聱/말을듣지않이할   齖/이고르지 못할   編/엮을)
오   아   편

KIMDAEJEUNG

-끝-

부족하지만 취미 삼아 정리하고 번역한 한시를 함께 읽어 준 것 만으로도 감사이고 도움이 되었다면 영광이라고 생각 합니다

-韓 相浩-

한시 150선 Ⅱ

발 　 행 | 2024년 3월 15일
저 　 자 | 한상호
펴낸이 | 한건희
펴낸곳 | 주식회사 부크크
출판사등록 | 2014.07.15.(제2014-16호)
주 　 소 | 서울특별시 금천구 가산디지털1로 119 SK트윈타워 A동 305호
전 　 화 | 1670-8316
이메일 | info@bookk.co.kr

ISBN | 979-11-410-7652-8

www.bookk.co.kr